Pierre Corneille

Le Cid (1637)

Collection dirigée par
Marc Robert

Notes et dossier
Marie-Aude de Langenhagen
agrégée de lettres modernes

LE CID

7 À Madame de Combalet
11 Acte premier
31 Acte II
55 Acte III
75 Acte IV
93 Acte V
113 Variantes et textes liminaires
Variantes
Examen du *Cid*
Avertissement de Corneille

LIRE L'ŒUVRE

151 **Questionnaire de lecture**

L'ŒUVRE DANS L'HISTOIRE

157 **Le contexte historique et social des années 1630 : un univers en mutation**

161 **Le contexte idéologique et culturel**

166 **Le contexte biographique : *Le Cid*, ou le triomphe d'un auteur**

168 **La réception de la pièce**

174 **Groupement de textes : figures héroïques à l'âge classique**

TEXTE 1 Corneille, *Le Cid*, acte IV, scène 3

TEXTE 2 Molière, *Dom Juan*, acte IV, scène 4

TEXTE 3 La Rochefoucauld, *Maximes*

TEXTE 4 Bénichou, *Morales du grand siècle*

TEXTE 5 Sweetser, *La Dramaturgie de Corneille*

Conception graphique de la maquette :
c-album, Jean-Baptiste Taisne, Rachel Pfleger
Principe de couverture : Double
Mise en pages : Chesteroc Ltd
Iconographie : Hatier Illustration
Suivi éditorial : Jeanne Boyer

ISBN : 978-2-218-95894-6

L'ŒUVRE DANS UN GENRE

183 ***Le Cid* : une pièce inclassable ?**

194 **Groupement de textes : les formes du langage théâtral dans *Le Cid***

TEXTE **6** Acte II, scène 1

TEXTE **7** Acte II, scène 2

TEXTE **8** Acte I, scène 7

TEXTE **9** Acte V, scène 2

TEXTE **10** Acte II, scène 1

TEXTE **11** Acte II, scène 2

TEXTE **12** Acte IV, scène 3

TEXTE **13** Acte IV, scène 4

TEXTE **14** Acte III, scène 4

TEXTE **15** Acte I, scène 5

TEXTE **16** Acte III, scène 4

VERS L'ÉPREUVE

ARGUMENTER, COMMENTER, RÉDIGER

201 **L'argumentation dans *Le Cid***

206 **Groupement de textes : jugements critiques**

TEXTE **17** La Verdad, rondeau

TEXTE **18** Corneille, rondeau

TEXTE **19** Hugo, préface de *Cromwell*

TEXTE **20** Lamartine, *Philosophie et littérature*

TEXTE **21** Faguet, *Dix-septième siècle : études et portraits littéraires*

TEXTE **22** Bénichou, *Morales du grand siècle*

TEXTE **23** Kerr, *Corneille à l'affiche, vingt ans de créations théâtrales, 1980-2000*

213 **Sujets**

Invention et argumentation

Commentaires

Dissertations

221 BIBLIOGRAPHIE

Le texte reproduit dans ce volume est celui de l'édition originale de 1637 (*Le Cid*, tragi-comédie, Paris, Augustin Courbé, 1637). Nous avons donc choisi de donner accès, non à la version classique, mais à la version originale du *Cid*, quand la pièce était encore une « tragi-comédie ». Nous avons fait le choix de ce texte car ce dernier n'est que très rarement reproduit dans les éditions de poche ; de plus il nous semblait que la version tragi-comique du *Cid* manifestait, avec plus d'éclat que la version classique, l'énergie créatrice et le « lyrisme généreux[1] » du jeune Corneille.
Dès 1648, le dramaturge change la dénomination générique de son texte : de « tragi-comédie », *Le Cid*, malgré des modifications en réalité tout à fait infimes, devient « tragédie ». En 1660, des modifications plus substantielles sont apportées et le texte initial est profondément remanié. Nous avons choisi de faire figurer dans cette édition les principales modifications apportées par Corneille entre 1660 et 1682. Des notes de bas de page renvoient donc, dans le texte de 1637, aux variantes de 1660-1682. Ces variantes, regroupées à la suite du texte de 1637, sont suivies des textes liminaires (« Avertissement » de Corneille, 1648, et « Examen » du *Cid*, 1660) que Corneille a rédigés entre 1648 et 1660 pour défendre sa pièce et justifier les changements apportés. Nous avons souhaité apporter le moins de modifications possible au texte de 1637 : seule l'orthographe a par conséquent été modernisée ; la ponctuation d'origine et l'emploi des majuscules ont été maintenus.

---

1. Charles-Augustin Sainte-Beuve, « Corneille », dans *Nouveaux Lundis*, Paris, Michel-Lévy frères, 1863-1870, t. III, p. 75.

LE CID

Tragi-comédie

À Madame de Combalet[1]

Madame,

Ce portrait vivant que je vous offre, représente un héros assez reconnaissable aux lauriers dont il est couvert. Sa vie a été une suite continuelle de victoires, son corps porté dans
5 son armée a gagné des batailles après sa mort et son nom au bout de six cents ans vient encore de triompher en France[2]. Il y a trouvé une réception trop favorable pour se repentir d'être sorti de son pays[3], et d'avoir appris à parler une autre langue que la sienne. Ce succès a passé mes plus ambitieuses
10 espérances, et m'a surpris d'abord[4], mais il a cessé de m'étonner depuis que j'ai vu la satisfaction que vous avez témoignée, quand il a paru devant vous; alors j'ai osé me promettre de lui tout ce qui en est arrivé, et j'ai cru qu'après les éloges dont vous l'avez honoré, cet applaudissement
15 universel ne lui pouvait manquer. Et véritablement, Madame,

1. *Madame de Combalet :* nièce de Richelieu, amie et protectrice des artistes (Voiture, Scudéry, Corneille). La dédicace disparaît à partir de l'édition de 1660. \ **2.** Rappels des événements marquants de la vie du Cid. \ **3.** Paul Pellisson-Fontanier, dans son *Histoire de l'Académie française* (1653), relate que *Le Cid* de Corneille « fut mis, du moins par l'opinion publique, infiniment au-dessus de tous les autres » et qu'on ne « se pouvait lasser de [le] voir » (Paris, Didier, 1858, vol. 1, p. 99). \ **4.** Corneille n'a jamais considéré *Le Cid* comme une de ses œuvres majeures.

on ne peut douter avec raison de ce que vaut une chose qui a le bonheur de vous plaire : le jugement que vous en faites est la marque assurée de son prix ; et comme vous donnez toujours libéralement aux véritables beautés l'estime qu'elles méritent,
20 les fausses n'ont jamais le pouvoir de vous éblouir. Mais votre générosité ne s'arrête pas à des louanges stériles pour les ouvrages qui vous agréent, elle prend plaisir à s'étendre utilement sur ceux qui les produisent [1], et ne dédaigne point d'employer en leur faveur ce grand crédit que votre qualité et
25 vos vertus vous ont acquis. J'en ai ressenti des effets qui me sont trop avantageux pour m'en taire, et je ne vous dois pas moins de remerciements pour moi que pour *Le Cid*. C'est une reconnaissance qui m'est glorieuse puisqu'il m'est impossible de publier que je vous ai de grandes obligations, sans publier
30 en même temps que vous m'avez assez estimé pour vouloir que je vous en eusse. Aussi Madame, si je souhaite quelque durée pour cet heureux effort de ma plume, ce n'est point pour apprendre mon nom à la postérité, mais seulement pour laisser des marques éternelles de ce que je vous dois, et faire lire à
35 ceux qui naîtront dans les autres siècles la protestation que je fais d'être toute ma vie,

MADAME,

Votre très humble, très obéissant
et très oblige serviteur,
40 CORNEILLE.

1. Madame de Combalet a contribué à l'anoblissement du père de Corneille et de ses héritiers.

Acteurs

DON FERNAND, *premier roi de Castille.*
DOÑA URRAQUE, *infante de Castille.*
DON DIÈGUE, *père de don Rodrigue.*
DON GOMÈS, *comte de Gormas, père de Chimène.*
DON RODRIGUE, *fils de don Diègue et amant de Chimène.*
DON SANCHE, *amoureux de Chimène.*
DON ARIAS, } *gentilshommes castillants.*
DON ALONSE, }
CHIMÈNE, *maîtresse de don Rodrigue et de don Sanche.*
LÉONOR, *gouvernante de l'Infante.*
ELVIRE, *suivante de Chimène.*
Un page de l'Infante.

La scène est à Séville.

Dans l'histoire :

ED : · Le roi choisit Don Diègue
· Le comte giffle Don Diègue

Acte premier

Scène première [1]

LE COMTE, ELVIRE

ELVIRE

Entre tous ces amants [2] dont la jeune ferveur
Adore votre fille, et brigue ma faveur,
Don Rodrigue et Don Sanche à l'envi font paraître
Le beau feu [3] qu'en leurs cœurs ses beautés ont fait naître,
5 Ce n'est pas que Chimène écoute leurs soupirs,
Ou d'un regard propice anime leurs désirs,
Au contraire pour tous dedans l'indifférence
Elle n'ôte à pas un, ni donne d'espérance,
Et sans les voir d'un œil trop sévère, ou trop doux,
10 C'est de votre seul choix qu'elle attend un époux.

---

1. À partir de 1660, les deux scènes d'ouverture (scènes 1 et 2) sont remplacées par une unique scène (reproduite p. 116 à 118). Les scènes d'ouverture de 1637 avaient été condamnées par les doctes pour deux raisons. La scène 1 avait été réprouvée au nom de la vraisemblance : la conversation entre le père de Chimène – un grand seigneur – et Elvire – une suivante – paraissait peu crédible et trop familière pour traiter d'un sujet grave, le mariage de Chimène. Quant à la scène 2, elle paraissait redondante car Elvire y répétait à Chimène le contenu de sa conversation avec le comte. En 1660, Corneille propose donc en ouverture un dialogue de cinquante-huit vers entre Elvire et Chimène. **\2.** *Amants :* au XVIIe siècle, le terme signifie « amoureux », « soupirants ». **\3.** *À l'envi font paraître le beau feu :* ils rivalisent dans leurs démonstrations d'amour pour Chimène.

Le Comte

Elle est dans le devoir, tous deux sont dignes d'elle,
Tous deux formés d'un sang, noble, vaillant, fidèle,
Jeunes, mais qui font lire aisément dans leurs yeux
L'éclatante vertu de leurs braves aïeux.
15 Don Rodrigue surtout n'a trait en son visage
Qui d'un homme de cœur[1] ne soit la haute image,
Et sort d'une maison si féconde en guerriers
Qu'ils y prennent naissance au milieu des lauriers.
La valeur de son père, en son temps sans pareille,
20 Tant qu'a duré sa force a passé pour merveille,
Ses rides sur son front ont gravé ses exploits,
Et nous disent encor ce qu'il fut autrefois :
Je me promets du fils ce que j'ai vu du père,
Et ma fille en un mot peut l'aimer et me plaire.
25 Va l'en entretenir, mais dans cet entretien,
Cache mon sentiment et découvre le sien,
Je veux qu'à mon retour nous en parlions ensemble ;
L'heure à présent m'appelle au conseil qui s'assemble,
Le Roi doit à son fils choisir un Gouverneur[2],
30 Ou plutôt m'élever à ce haut rang d'honneur,
Ce que pour lui mon bras chaque jour exécute
Me défend de penser qu'aucun me le dispute.

1. *Cœur :* le terme est synonyme de « courage ». \ **2.** *Gouverneur :* précepteur chargé d'instruire le jeune prince.

Scène 2

Chimène, Elvire

Elvire, *seule.*

Quelle douce nouvelle à ces jeunes amants !
Et que tout se dispose à leurs contentements !

Chimène

35 Eh bien, Elvire, enfin, que faut-il que j'espère ?
Que dois-je devenir, et que t'a dit mon père ?

Elvire

Deux mots dont tous vos sens doivent être charmés[1],
Il estime Rodrigue autant que vous l'aimez.

Chimène

L'excès de ce bonheur me met en défiance,
40 Puis-je à de tels discours donner quelque croyance ?

Elvire

Il passe bien plus outre, il approuve ses feux,
Et vous doit commander de répondre à ses vœux.
Jugez après cela puisque tantôt[2] son père
Au sortir du Conseil doit proposer l'affaire,
45 S'il pouvait avoir lieu de mieux prendre son temps,
Et si tous vos désirs seront bientôt contents.

Chimène

Il semble toutefois que mon âme troublée
Refuse cette joie, et s'en trouve accablée,
Un moment donne au sort des visages divers,
50 Et dans ce grand bonheur je crains un grand revers.

---

1. *Charmés :* enchantés. \ **2.** *Tantôt :* tout à l'heure.

ELVIRE

Vous verrez votre crainte heureusement déçue[1].

CHIMÈNE

Allons, quoi qu'il en soit, en attendre l'issue.

Scène 3

L'INFANTE, LÉONOR, PAGE

L'INFANTE, *au Page.*

Va-t'en trouver Chimène, et lui dis de ma part
Qu'aujourd'hui pour me voir elle attend un peu tard,
55 Et que mon amitié se plaint de sa paresse[2].

Le Page rentre.

LÉONOR

Madame, chaque jour même désir vous presse,
Et je vous vois pensive et triste chaque jour
L'informer avec soin comme va son amour.

L'INFANTE

J'en dois bien avoir soin, je l'ai presque forcée
60 À recevoir les coups dont son âme est blessée,
Elle aime Don Rodrigue et le tient de ma main,
Et par moi Don Rodrigue a vaincu son dédain,
Ainsi de ces amants ayant formé les chaînes,
Je dois prendre intérêt à la fin de leurs peines.

1. *Déçue :* trompée. Elvire suggère que les craintes de Chimène seront vaines. \ 2. *Paresse :* manque d'empressement.

LÉONOR

65 Madame, toutefois parmi leurs bons succès,
On vous voit un chagrin qui va jusqu'à l'excès.
Cet amour qui tous deux les comble d'allégresse
Fait-il de ce grand cœur la profonde tristesse ?
Et ce grand intérêt que vous prenez pour eux
70 Vous rend-il malheureuse alors qu'ils sont heureux ?
Mais je vais trop avant, et deviens indiscrète.

L'INFANTE

Ma tristesse redouble à la tenir secrète.
Écoute, écoute enfin comme j'ai combattu,
Et plaignant ma faiblesse admire[1] ma vertu.
75 L'amour est un tyran qui n'épargne personne,
Ce jeune Chevalier, cet amant que je donne,
Je l'aime.

elle avoue son amour pour Rodrigue

LÉONOR

Vous l'aimez !

L'INFANTE

Mets la main sur mon cœur,
Et vois comme il se trouble au nom de son vainqueur,
Comme il le reconnaît.

LÉONOR

Pardonnez-moi, Madame,
80 Si je sors du respect pour blâmer cette flamme[2].
Choisir pour votre amant un simple Chevalier !
Une grande Princesse à ce point s'oublier !

1. *Admire :* considère. \ 2. *Flamme :* amour.

Et que dira le Roi ? que dira la Castille ?
Vous souvenez-vous bien de qui vous êtes fille !

L'Infante

85 Oui, oui, je m'en souviens, et j'épandrai[1] mon sang
Plutôt que de rien faire indigne de mon rang.
Je te répondrais bien que dans les belles âmes
Le seul mérite a droit de produire des flammes,
Et si ma passion cherchait à s'excuser,
90 Mille exemples fameux pourraient l'autoriser.
Mais je n'en veux point suivre où ma gloire s'engage,
Si j'ai beaucoup d'amour, j'ai bien plus de courage,
Un noble orgueil[2] m'apprend qu'étant fille de Roi
Tout autre qu'un Monarque est indigne de moi.
95 Quand je vis que mon cœur ne se pouvait défendre,
Moi-même je donnai ce que je n'osais prendre,
Je mis au lieu de moi Chimène en ses liens[3],
Et j'allumai leurs feux pour éteindre les miens.
Ne t'étonne donc plus si mon âme gênée
100 Avec impatience attend leur hyménée[4],
Tu vois que mon repos en dépend aujourd'hui :
Si l'amour vit d'espoir, il meurt avecque lui,
C'est un feu qui s'éteint faute de nourriture,
Et malgré la rigueur de ma triste aventure
105 Si Chimène a jamais Rodrigue pour mari
Mon espérance est morte, et mon esprit guéri.
Je souffre cependant un tourment incroyable,
Jusques à cet hymen Rodrigue m'est aimable[5],

Infante aime Rodrigue en cachette

1. *Épandrai :* répandrai. \ **2.** *Orgueil :* le terme est mélioratif. Il signifie « fierté », « conscience de soi ». \ **3.** *Je mis (...) en ses liens :* je fis en sorte que Chimène tombe amoureuse de Rodrigue. \ **4.** *Hyménée :* mariage. \ **5.** *Rodrigue m'est aimable :* il est digne d'être aimé par moi.

Je travaille à le perdre, et le perds à regret,
10 Et de là prend son cours mon déplaisir secret.
Je suis au désespoir que l'amour me contraigne
À pousser des soupirs pour ce que je dédaigne,
Je sens à deux partis mon esprit divisé,
Si mon courage est haut, mon cœur est embrasé :
15 Cet hymen[1] m'est fatal, je le crains, et souhaite,
Je ne m'en promets rien qu'une joie imparfaite,
Ma gloire et mon amour ont tous deux tant d'appas
Que je meurs s'il s'achève[2], et ne s'achève pas.

Léonor

Madame, après cela je n'ai rien à vous dire,
20 Sinon que de vos maux avec vous je soupire :
Je vous blâmais tantôt, je vous plains à présent.
Mais puisque dans un mal si doux et si cuisant
Votre vertu combat et son charme et sa force,
En repousse l'assaut, en rejette l'amorce[3],
25 Elle rendra le calme à vos esprits flottants.
Espérez donc tout d'elle, et du secours du temps,
Espérez tout du Ciel, il a trop de justice
Pour souffrir la vertu si longtemps au supplice.

L'Infante

Ma plus douce espérance est de perdre l'espoir.

Le Page

30 Par vos commandements Chimène vous vient voir.

L'Infante

Allez l'entretenir en cette galerie.

1. *Hymen :* mariage. \ **2.** *S'achève :* s'accomplit. \ **3.** *Amorce :* appât.

LÉONOR

Voulez-vous demeurer dedans la rêverie ?

L'INFANTE

Non, je veux seulement, malgré mon déplaisir,
Remettre mon visage un peu plus à loisir.
135 Je vous suis. Juste Ciel, d'où j'attends mon remède,
Mets enfin quelque borne[1] au mal qui me possède,
Assure mon repos, assure mon honneur,
Dans le bonheur d'autrui je cherche mon bonheur,
Cet hyménée[2] à trois également importe,
140 Rends son effet plus prompt, ou mon âme plus forte,
D'un lien conjugal joindre ces deux amants,
C'est briser tous mes fers[3] et finir mes tourments.
Mais je tarde un peu trop, allons trouver Chimène,
Et par son entretien soulager notre peine.

Scène 4

LE COMTE, DON DIÈGUE

LE COMTE

145 Enfin vous l'emportez, et la faveur du Roi
Vous élève en un rang qui n'était dû qu'à moi,
Il vous fait Gouverneur du Prince de Castille.

DON DIÈGUE

Cette marque d'honneur qu'il met dans ma famille
Montre à tous qu'il est juste, et fait connaître assez
150 Qu'il sait récompenser les services passés.

1. *Borne :* limite. \ 2. *Hyménée :* mariage. \ 3. *Fers :* chaînes amoureuses.

LE COMTE

Pour grands que soient les Rois, ils sont ce que nous sommes,
Ils peuvent se tromper comme les autres hommes,
Et ce choix sert de preuve à tous les Courtisans
Qu'ils savent mal payer les services présents.

DON DIÈGUE

55 Ne parlons plus d'un choix dont votre esprit s'irrite,
La faveur l'a pu faire autant que le mérite ;
Vous choisissant peut-être on eût pu mieux choisir,
Mais le Roi m'a trouvé plus propre à son désir.
À l'honneur qu'il m'a fait ajoutez-en un autre,
60 Joignons d'un sacré nœud[1] ma maison à la vôtre,
Rodrigue aime Chimène, et ce digne sujet
De ses affections est le plus cher objet :
Consentez-y, Monsieur, et l'acceptez pour gendre.

LE COMTE

À de plus hauts partis Rodrigue doit prétendre,
65 Et le nouvel éclat de votre dignité
Lui doit bien mettre au cœur une autre vanité[2].
Exercez-la, Monsieur, et gouvernez le Prince,
Montrez-lui comme il faut régir une Province,
Faire trembler partout les peuples sous sa loi,
70 Remplir les bons d'amour, et les méchants d'effroi :
Joignez à ces vertus celles d'un Capitaine,
Montrez-lui comme il faut s'endurcir à la peine,
Dans le métier de Mars[3] se rendre sans égal,
Passer les jours entiers et les nuits à cheval,
75 Reposer tout armé, forcer une muraille,

1. *Nœud :* union, mariage. \ **2.** *Vanité :* prétention. \ **3.** *Métier de Mars :* métier de la guerre.

Et ne devoir qu'à soi le gain d'une bataille.
Instruisez-le d'exemple[1], et vous ressouvenez
Qu'il faut faire à ses yeux ce que vous enseignez.

DON DIÈGUE

Pour s'instruire d'exemple, en dépit de l'envie[2],
180 Il lira seulement l'histoire de ma vie :
Là dans un long tissu de belles actions
Il verra comme il faut dompter des nations,
Attaquer une place, ordonner une armée,
Et sur de grands exploits bâtir sa renommée.

LE COMTE

185 Les exemples vivants ont bien plus de pouvoir,
Un Prince dans un livre apprend mal son devoir ;
Et qu'a fait après tout ce grand nombre d'années
Que ne puisse égaler une de mes journées ?
Si vous fûtes vaillant, je le suis aujourd'hui,
190 Et ce bras du Royaume est le plus ferme appui ; → métonymie
Grenade[3] et l'Aragon[4] tremblent quand ce fer[5] brille,
Mon nom sert de rempart à toute la Castille,
Sans moi vous passeriez bientôt sous d'autres lois,
Et si vous ne m'aviez, vous n'auriez plus de Rois.
195 Chaque jour, chaque instant, entasse pour ma gloire
Laurier dessus laurier, victoire sur victoire :
Le Prince, pour essai[6] de générosité,
Gagnerait des combats marchant à mon côté,
Loin des froides leçons qu'à mon bras on préfère,
200 Il apprendrait à vaincre en me regardant faire.

---

1. *D'exemple :* par votre exemple. \ **2.** *En dépit de l'envie :* malgré les jaloux. \ **3.** *Grenade :* capitale du royaume maure d'Andalousie. \ **4.** *Aragon :* royaume indépendant de la Castille, qui lui fut rattaché en 1469. \ **5.** *Fer :* épée. \ **6.** *Essai :* tentative, première expérience.

DON DIÈGUE

Vous me parlez en vain de ce que je connoi[1],
Je vous ai vu combattre et commander sous moi
Quand l'âge dans mes nerfs[2] a fait couler sa glace
Votre rare valeur a bien rempli ma place,
205 Enfin pour épargner les discours superflus
Vous êtes aujourd'hui ce qu'autrefois je fus.
Vous voyez toutefois qu'en cette concurrence
Un Monarque entre nous met de la différence.

LE COMTE

Ce que je méritais, vous l'avez emporté.

DON DIÈGUE

210 Qui l'a gagné sur vous, l'avait mieux mérité.

LE COMTE

Qui peut mieux l'exercer, en est bien le plus digne.

DON DIÈGUE

En être refusé n'en est pas un bon signe.

LE COMTE

Vous l'avez eu par brigue[3] étant vieux Courtisan.

DON DIÈGUE

L'éclat de mes hauts faits fut mon seul partisan.

LE COMTE

215 Parlons-en mieux, le Roi fait honneur à votre âge.

---

1. *Connoi :* graphie archaïque pour la rime visuelle. \ **2.** *Nerfs :* muscles. \ **3.** *Brigue :* intrigue, manœuvre déloyale.

DON DIÈGUE

Le Roi, quand il en fait, le mesure au courage.

LE COMTE

Et par là[1] cet honneur n'était dû qu'à mon bras.

DON DIÈGUE

Qui n'a pu l'obtenir, ne le méritait pas.

LE COMTE

Ne le méritait pas ! moi ?

DON DIÈGUE

Vous.

LE COMTE

Ton impudence[2],

220 Téméraire vieillard, aura sa récompense.

Il lui donne un soufflet[3].

DON DIÈGUE

Achève, et prends ma vie après un tel affront,
Le premier dont ma race ait vu rougir son front.

Ils mettent l'épée à la main.

LE COMTE

Et que penses-tu faire avec tant de faiblesse ?

DON DIÈGUE

Ô Dieu ! ma force usée à ce besoin[4] me laisse.

1. *Par là :* pour cette raison. \ 2. *Impudence :* insolence. \ 3. *Soufflet :* gifle. \ 4. *À ce besoin :* dans ce moment où j'aurais besoin d'elle.

Le Comte

25 Ton épée est à moi, mais tu serais trop vain
Si ce honteux trophée avait chargé ma main[1].
Adieu, fais lire au Prince, en dépit de l'envie,
Pour son instruction l'histoire de ta vie,
D'un insolent discours ce juste châtiment
30 Ne lui servira pas d'un petit ornement.

Don Diègue

Épargnes-tu mon sang ?

Le Comte

Mon âme est satisfaite,
Et mes yeux à ma main reprochent ta défaite.

Don Diègue

Tu dédaignes ma vie !

Le Comte

En arrêter le cours
Ne serait que hâter la Parque[2] de trois jours.

Scène 5

Don Diègue, *seul.*

35 Ô rage, ô désespoir ! ô vieillesse ennemie !
N'ai-je donc tant vécu que pour cette infamie ?
Et ne suis-je blanchi[3] dans les travaux guerriers

1. Le comte ne daigne pas même ramasser l'épée de don Diègue qu'il a jetée à terre. \ **2.** *Parque :* divinité qui tient entre ses mains les fils de la vie. *Hâter la Parque de trois jours :* faire advenir ta mort trois jours plus tôt. Le comte suggère ironiquement que don Diègue est sur le point de mourir de toute façon. \ **3.** *Et ne suis-je blanchi :* et n'ai-je vieilli.

Que pour voir en un jour flétrir tant de lauriers?
Mon bras qu'avec respect toute l'Espagne admire,
240 Mon bras qui tant de fois a sauvé cet Empire,
Tant de fois affermi le Trône de son Roi,
Trahit donc ma querelle[1], et ne fait rien pour moi?
Ô cruel souvenir de ma gloire passée!
Œuvre de tant de jours en un jour effacée!
245 Nouvelle dignité fatale à mon bonheur,
Précipice élevé d'où tombe mon honneur,
Faut-il de votre éclat voir triompher le Comte,
Et mourir sans vengeance, ou vivre dans la honte?
Comte, sois de mon Prince à présent Gouverneur,
250 Ce haut rang n'admet point un homme sans honneur,
Et ton jaloux orgueil par cet affront insigne[2]
Malgré le choix du Roi m'en a su rendre indigne.
Et toi[3] de mes exploits glorieux instrument,
Mais d'un corps tout de glace[4] inutile ornement,
255 Fer, jadis tant à craindre, et qui dans cette offense
M'as servi de parade[5], et non pas de défense,
Va, quitte désormais le dernier des humains,
Passe pour me venger en de meilleures mains;
Si Rodrigue est mon fils, il faut que l'amour cède,
260 Et qu'une ardeur plus haute à ses flammes[6] succède,
Mon honneur est le sien, et le mortel affront
Qui tombe sur mon chef[7] rejaillit sur son front.

il a honte
→ peut pas accepter d'être gouverneur sans
être lavé d'injustice et ceci va affecter sa famille

1. *Querelle* : cause. \ 2. *Insigne* : remarquable. \ 3. Don Diègue s'adresse à son épée. \ 4. *Tout de glace* : vieilli. \ 5. *Parade* : parure. \ 6. *Ses flammes* : son amour. \ 7. *Mon chef* : ma tête.

Scène 6

DON DIÈGUE, DON RODRIGUE

DON DIÈGUE

Rodrigue, as-tu du cœur[1] ?

DON RODRIGUE

Tout autre que mon père
L'éprouverait sur l'heure.

DON DIÈGUE

Agréable colère,
265 Digne ressentiment à ma douleur bien doux !
Je reconnais mon sang à ce noble courroux[2],
Ma jeunesse revit en cette ardeur si prompte,
Viens mon fils, viens mon sang, viens réparer ma honte,
Viens me venger.

DON RODRIGUE

De quoi ?

DON DIÈGUE

D'un affront si cruel
270 Qu'à l'honneur de tous deux il porte un coup mortel,
D'un soufflet[3]. L'insolent en eût perdu la vie,
Mais mon âge a trompé ma généreuse envie,
Et ce fer[4] que mon bras ne peut plus soutenir,
Je le remets au tien pour venger et punir.
275 Va contre un arrogant éprouver ton courage ;
Ce n'est que dans le sang qu'on lave un tel outrage,
Meurs, ou tue. Au surplus, pour ne te point flatter,

1. *Cœur :* courage. \ 2. *Courroux :* colère. \ 3. *Soufflet :* gifle. \ 4. *Fer :* épée.

Je te donne à combattre un homme à redouter,
Je l'ai vu tout sanglant au milieu des batailles
280 Se faire un beau rempart de mille funérailles.

DON RODRIGUE

Son nom, c'est perdre temps en propos superflus.

DON DIÈGUE

Donc, pour te dire encor quelque chose de plus,
Plus que brave soldat, plus que grand Capitaine,
C'est…

DON RODRIGUE

De grâce achevez.

DON DIÈGUE

Le père de Chimène.

DON RODRIGUE

285 Le…

DON DIÈGUE

Ne réplique point, je connais ton amour,
Mais qui peut vivre infâme est indigne du jour,
Plus l'offenseur est cher[1], et plus grande est l'offense :
Enfin tu sais l'affront, et tu tiens la vengeance,
Je ne te dis plus rien, venge-moi, venge-toi,
290 Montre-toi digne fils d'un tel père que moi ;
Accablé des malheurs où le destin me range
Je m'en vais les pleurer. Va, cours, vole, et nous venge.

1. *Cher* : réputé, renommé.

Scène 7

DON RODRIGUE, *seul*[1].

Percé jusques au fond du cœur
D'une atteinte imprévue aussi bien que mortelle,
95 Misérable vengeur d'une juste querelle,
Et malheureux objet d'une injuste rigueur,
Je demeure immobile, et mon âme abattue
Cède au coup qui me tue.
Si près de voir mon feu[2] récompensé,
00 Ô Dieu ! l'étrange peine !
En cet affront mon père est l'offensé,
Et l'offenseur le père de Chimène.

Que je sens de rudes combats !
Contre mon propre honneur mon amour s'intéresse[3],
05 Il faut venger un père, et perdre une maîtresse,
L'un échauffe mon cœur, l'autre retient mon bras,
Réduit au triste choix ou de trahir ma flamme[4],
Ou de vivre en infâme,
Des deux côtés mon mal est infini.
10 Ô Dieu ! l'étrange peine !
Faut-il laisser un affront impuni ?
Faut-il punir le père de Chimène ?

Père, maîtresse, honneur, amour,
Illustre tyrannie, adorable contrainte,
5 Par qui de ma raison la lumière est éteinte,

1. Les stances, très présentes dans le théâtre renaissant tragique, sont un moment lyrique où le personnage dévoile son cœur et ses sentiments. Jugées artificielles et statiques, elles tombent, dès le milieu du XVIIe siècle, en désuétude. \ **2.** *Feu :* amour (métaphore galante). \ **3.** *S'intéresse :* prend parti. \ **4.** *Flamme :* amour.

À mon aveuglement rendez un peu de jour.
Cher et cruel espoir d'une âme généreuse
Mais ensemble[1] amoureuse,
Noble ennemi de mon plus grand bonheur
320 Qui fais toute ma peine,
M'es-tu donné pour venger mon honneur ?
M'es-tu donné pour perdre ma Chimène ?

Il vaut mieux courir au trépas[2] ;
Je dois à[3] ma maîtresse[4] aussi bien qu'à mon père,
325 Qui venge cet affront irrite sa colère,
Et qui peut le souffrir[5], ne la mérite pas.
Prévenons la douleur d'avoir failli[6] contre elle,
Qui nous serait mortelle.
Tout m'est fatal, rien ne me peut guérir,
330 Ni soulager ma peine,
Allons, mon âme, et puisqu'il faut mourir,
Mourons du moins sans offenser Chimène.

Mourir sans tirer ma raison[7] !
Rechercher un trépas si mortel à ma gloire !
335 Endurer que l'Espagne impute à ma mémoire
D'avoir mal soutenu l'honneur de ma maison !
Respecter un amour dont mon âme égarée
Voit la perte assurée !
N'écoutons plus ce penser suborneur[8]
340 Qui ne sert qu'à ma peine,
Allons, mon bras, du moins sauvons l'honneur,
Puisque aussi bien il faut perdre Chimène.

1. *Ensemble :* en même temps. \ **2.** *Courir au trépas :* courir à la mort. \ **3.** *Je dois à :* j'ai des devoirs envers. \ **4.** *Maîtresse :* amante, bien-aimée. \ **5.** *Souffrir :* supporter. \ **6.** *Avoir failli :* avoir fait preuve de faiblesse. \ **7.** *Sans tirer ma raison :* sans obtenir réparation. \ **8.** *Suborneur :* qui écarte du devoir, de l'honneur.

Oui, mon esprit s'était déçu[1],
Dois-je pas à mon père avant qu'à ma maîtresse ?
45 Que je meure au combat, ou meure de tristesse,
Je rendrai mon sang pur comme je l'ai reçu.
Je m'accuse déjà de trop de négligence[2],
Courons à la vengeance,
Et tous[3] honteux d'avoir tant balancé[4],
50 Ne soyons plus en peine
(Puisque aujourd'hui mon père est l'offensé)
Si l'offenseur est père de Chimène.

FIN DU PREMIER ACTE

il va venger son père

1. *Déçu* : trompé, égaré. \ 2. *Négligence* : manque d'empressement. \ 3. *Tous* : renvoie à Rodrigue, qui se désigne par un « nous » de majesté. \ 4. *Balancé* : hésité.

Acte II

Scène première

DON ARIAS, LE COMTE

LE COMTE

Je l'avoue entre nous, quand je lui fis l'affront
J'eus le sang un peu chaud, et le bras un peu prompt,
55 Mais puisque c'en est fait, le coup est sans remède.

DON ARIAS

Qu'aux volontés du Roi ce grand courage cède [1],
Il y prend grande part [2], et son cœur irrité
Agira contre vous de pleine autorité.
Aussi vous n'avez point de valable défense :
60 Le rang de l'offensé, la grandeur de l'offense,
Demandent des devoirs et des submissions [3]
Qui passent le commun des satisfactions [4].

LE COMTE

Qu'il prenne donc ma vie, elle est en sa puissance.

1. *Cède :* s'incline. \ **2.** *Il y prend grande part :* il s'y intéresse de près. \ **3.** *Submissions :* devoirs que l'on doit à un supérieur. \ **4.** *Satisfactions :* réparations, excuses.

DON ARIAS

Un peu moins de transport, et plus d'obéissance,
365 D'un Prince qui vous aime apaisez le courroux[1],
Il a dit : Je le veux. Désobéirez-vous ?

LE COMTE

Monsieur, pour conserver ma gloire et mon estime[2]
Désobéir un peu n'est pas un si grand crime.
Et quelque grand qu'il fût, mes services présents
370 Pour le faire abolir[3] sont plus que suffisants.

DON ARIAS

Quoi qu'on fasse d'illustre et de considérable
Jamais à son sujet un Roi n'est redevable :
Vous vous flattez beaucoup, et vous devez savoir
Que qui sert bien son Roi ne fait que son devoir.
375 Vous vous perdrez, Monsieur, sur cette confiance[4].

LE COMTE

Je ne vous en croirai qu'après l'expérience[5].

DON ARIAS

Vous devez redouter la puissance d'un Roi.

LE COMTE

Un jour seul ne perd pas un homme tel que moi.
Que toute sa grandeur s'arme pour mon supplice,
380 Tout l'État périra plutôt que je périsse.

DON ARIAS

Quoi ? vous craignez si peu le pouvoir souverain ?

---

1. *Courroux :* colère. \ **2.** *Estime :* opinion que le comte a de lui-même. \ **3.** *Abolir :* pardonner. \ **4.** *Sur cette confiance :* en vous fiant à cette idée. \ **5.** *Expérience :* essai, tentative.

LE COMTE

D'un sceptre qui sans moi tomberait de sa main ?
Il a trop d'intérêt lui-même en ma personne,
Et ma tête en tombant ferait choir[1] sa couronne.

DON ARIAS

85 Souffrez que la raison remette vos esprits.
Prenez un bon conseil[2].

LE COMTE

Le conseil en est pris.

DON ARIAS

Que lui dirai-je enfin ? Je lui dois rendre compte.

LE COMTE

Que je ne puis du tout consentir à ma honte.

DON ARIAS

Mais songez que les Rois veulent être absolus[3].

LE COMTE

90 Le sort en est jeté, Monsieur, n'en parlons plus.

DON ARIAS

Adieu donc[4], puisqu'en vain je tâche à vous résoudre[5] ;
Tout couvert de lauriers, craignez encor la foudre.

LE COMTE

Je l'attendrai sans peur.

1. *Choir :* tomber. **\2.** *Conseil :* décision. **\3.** *Absolus :* détenteurs d'un pouvoir sans partage. **\4.** À partir de 1660, la fin de la scène a été remplacée par les vers reproduits p. 118-119. Corneille réécrit ces vers pour les policer conformément aux exigences de la bienséance. **\5.** *Résoudre :* faire changer d'avis.

DON ARIAS

Mais non pas sans effet[1].

LE COMTE

Nous verrons donc par là Don Diègue satisfait.

Don Arias rentre[2].

395 Je m'étonne fort peu de menaces pareilles.
Dans les plus grands périls je fais plus de merveilles[3],
Et quand l'honneur y va[4], les plus cruels trépas
Présentés à mes yeux ne m'ébranleraient pas.

Scène 2

LE COMTE, DON RODRIGUE

DON RODRIGUE

À moi, Comte, deux mots.

LE COMTE

Parle.

DON RODRIGUE

Ôte-moi d'un doute.

400 Connais-tu bien Don Diègue ?

LE COMTE

Oui.

1. *Effet :* résultat, conséquence. Don Arias prédit au comte que la colère royale risque de s'abattre *effectivement* sur lui. \ **2.** Didascalie remplacée par « *Il est seul* » en 1663. Par cette modification, Corneille a voulu indiquer explicitement que le comte se retrouvait seul sur scène pour prononcer des paroles qui sonnent comme un défi à l'autorité royale. \ **3.** *Merveilles :* miracles, prouesses exceptionnelles. \ **4.** *Quand l'honneur y va :* quand il y va de l'honneur, quand c'est d'honneur qu'il s'agit.

DON RODRIGUE

Parlons bas, écoute.

Sais-tu que ce vieillard fut la même vertu[1],
La vaillance, et l'honneur de son temps ? le sais-tu ?

LE COMTE

Peut-être.

DON RODRIGUE

Cette ardeur que dans les yeux je porte,
Sais-tu que c'est son sang ? le sais-tu ?

LE COMTE

Que m'importe ?

DON RODRIGUE

À quatre pas d'ici je te le fais savoir[2].

LE COMTE

Jeune présomptueux[3].

DON RODRIGUE

Parle sans t'émouvoir.
Je suis jeune, il est vrai, mais aux âmes bien nées
La valeur n'attend pas le nombre des années.

LE COMTE

Mais t'attaquer à moi ! qui t'a rendu si vain[4],
Toi qu'on n'a jamais vu les armes à la main ?

1. *La même vertu :* la vertu même, l'incarnation par excellence de la vertu. \ **2.** Rodrigue défie le comte en duel. \ **3.** *Présomptueux :* orgueilleux. \ **4.** *Vain :* prétentieux.

Don Rodrigue

Mes pareils à deux fois ne se font point connaître,
Et pour leurs coups d'essai veulent des coups de maître.

Le Comte

Sais-tu bien qui je suis ?

Don Rodrigue

Oui, tout autre que moi
Au seul bruit de ton nom pourrait trembler d'effroi,
415 Mille et mille lauriers dont ta tête est couverte
Semblent porter écrit le destin de ma perte,
J'attaque en téméraire un bras toujours vainqueur,
Mais j'aurai trop de force ayant assez de cœur[1],
À qui venge son père il n'est rien impossible,
420 Ton bras est invaincu, mais non pas invincible.

Le Comte

Ce grand cœur qui paraît aux discours que tu tiens
Par tes yeux chaque jour se découvrait aux miens,
Et croyant voir en toi l'honneur de la Castille,
Mon âme avec plaisir te destinait ma fille.
425 Je sais ta passion, et suis ravi de voir
Que tous ses mouvements cèdent à ton devoir,
Qu'ils n'ont point affaibli cette ardeur magnanime[2],
Que ta haute vertu répond à mon estime,
Et que voulant pour gendre un Chevalier parfait
430 Je ne me trompais point au choix que j'avais fait.
Mais je sens que pour toi ma pitié s'intéresse[3],
J'admire ton courage, et je plains ta jeunesse.

---

1. *J'aurai trop de force ayant assez de cœur :* comme j'ai suffisamment de courage, j'aurai plus de force qu'il n'en faut. \ **2.** *Magnanime :* qui est le signe d'une grande âme. \ **3.** *S'intéresse :* prend parti.

Ne cherche point à faire un coup d'essai fatal,
Dispense ma valeur d'un combat inégal,
35 Trop peu d'honneur pour moi suivrait cette victoire,
À vaincre sans péril on triomphe sans gloire,
On te croirait toujours abattu sans effort,
Et j'aurais seulement le regret de ta mort.

DON RODRIGUE

D'une indigne pitié ton audace est suivie.
40 Qui m'ose ôter l'honneur craint de m'ôter la vie.

LE COMTE

Retire-toi d'ici.

DON RODRIGUE

Marchons sans discourir.

LE COMTE

Es-tu si las de vivre ?

DON RODRIGUE

As-tu peur de mourir ?

LE COMTE

Viens, tu fais ton devoir, et le fils dégénère[1]
Qui survit un moment à l'honneur de son père.

1. *Dégénère :* déchoit, ne se montre pas digne de sa race et de ses ancêtres.

Scène 3

L'INFANTE, CHIMÈNE, LÉONOR

L'INFANTE

445 Apaise, ma Chimène, apaise ta douleur,
Fais agir ta constance[1] en ce coup de malheur,
Tu reverras le calme après ce faible orage,
Ton bonheur n'est couvert que d'un petit nuage,
Et tu n'as rien perdu pour le voir différer.

CHIMÈNE

450 Mon cœur outré d'ennuis[2] n'ose rien espérer,
Un orage si prompt qui trouble une bonace[3]
D'un naufrage certain nous porte la menace.
Je n'en saurais douter, je péris dans le port[4].
J'aimais, j'étais aimée, et nos pères d'accord,
455 Et je vous en contais la première nouvelle
Au malheureux moment que naissait leur querelle,
Dont le récit fatal sitôt qu'on vous l'a fait
D'une si douce attente a ruiné l'effet.
Maudite ambition, détestable manie[5],
460 Dont les plus généreux souffrent la tyrannie,
Impitoyable honneur, mortel à mes plaisirs,
Que tu me vas coûter de pleurs et de soupirs !

L'INFANTE

Tu n'as dans leur querelle aucun sujet de craindre,
Un moment l'a fait naître, un moment va l'éteindre,
465 Elle a fait trop de bruit pour ne pas s'accorder,
Puisque déjà le Roi les veut accommoder[6],

1. *Constance :* calme, maîtrise de soi. \ **2.** *Ennuis :* peines, malheurs. \ **3.** *Bonace :* mer très calme. \ **4.** *Dans le port :* tout près du but. \ **5.** *Manie :* folie. \ **6.** *Accommoder :* réconcilier.

Et de ma part mon âme à tes ennuis sensible
Pour en tarir la source y fera l'impossible.

CHIMÈNE

Les accommodements ne font rien en ce point,
470 Les affronts à l'honneur ne se réparent point,
En vain on fait agir la force, ou la prudence,
Si l'on guérit le mal, ce n'est qu'en apparence,
La haine que les cœurs conservent au-dedans
Nourrit des feux[1] cachés, mais d'autant plus ardents.

L'INFANTE

475 Le saint nœud[2] qui joindra Don Rodrigue et Chimène
Des pères ennemis dissipera la haine,
Et nous verrons bientôt votre amour le plus fort
Par un heureux Hymen[3] étouffer ce discord[4].

CHIMÈNE

Je le souhaite ainsi plus que je ne l'espère;
480 Don Diègue est trop altier[5], et je connais mon père.
Je sens couler des pleurs que je veux retenir,
Le passé me tourmente, et je crains l'avenir.

L'INFANTE

Que crains-tu? d'un vieillard l'impuissante faiblesse?

CHIMÈNE

Rodrigue a du courage.

L'INFANTE

Il a trop de jeunesse.

---

1. *Feux :* ardeurs. \ **2.** *Saint nœud :* mariage, union. \ **3.** *Hymen :* mariage. \ **4.** *Discord :* désaccord. \ **5.** *Altier :* orgueilleux.

Chimène

485 Les hommes valeureux le sont du premier coup.

L'Infante

Tu ne dois pas pourtant le redouter beaucoup,
Il est trop amoureux pour te vouloir déplaire,
Et deux mots de ta bouche arrêtent sa colère.

Chimène

S'il ne m'obéit point, quel comble à mon ennui[1] ?
490 Et s'il peut m'obéir, que dira-t-on de lui ?
Souffrir un tel affront étant né Gentilhomme !
Soit qu'il cède, ou résiste au feu qui le consomme,
Mon esprit ne peut qu'être, ou honteux, ou confus,
De son trop de respect, ou d'un juste refus.

L'Infante

495 Chimène est généreuse, et quoique intéressée[2]
Elle ne peut souffrir une lâche pensée !
Mais si jusques au jour de l'accommodement[3]
Je fais mon prisonnier de ce parfait amant,
Et que j'empêche ainsi l'effet de son courage,
500 Ton esprit amoureux n'aura-t-il point d'ombrage ?

Chimène

Ah ! Madame ! en ce cas je n'ai plus de souci.

L'infante propose d'enprisoné Rodrigue pour pas qu'il se batte en duel et elle demande à Chimène d'intervenir

1. *S'il ne m'obéit point, quel comble à mon ennui :* s'il ne m'obéit point, je serai au comble du chagrin et de la douleur. \ 2. *Intéressée :* partiale. \ 3. *Accommodement :* réconciliation.

Scène 4

L'INFANTE, CHIMÈNE, LÉONOR, LE PAGE

L'INFANTE

Page, cherchez Rodrigue, et l'amenez ici.

LE PAGE

Le Comte de Gormas et lui…

CHIMÈNE

Bon Dieu ! je tremble.

L'INFANTE

Parlez.

LE PAGE

De ce Palais ils sont sortis ensemble.

CHIMÈNE

05 Seuls ?

LE PAGE

Seuls, et qui semblaient tout bas se quereller.

CHIMÈNE

Sans doute ils sont aux mains, il n'en faut plus parler :
Madame, pardonnez à cette promptitude[1].

~~Ils ont vu~~

l'idée de l'infante est trop tard
Le comte et Rodrigue sont déjà partis se battre

1. *Promptitude :* hâte.

Scène 5

L'INFANTE, LÉONOR

L'INFANTE

Hélas ! que dans l'esprit je sens d'inquiétude !
Je pleure ses malheurs, son amant me ravit[1],
510 Mon repos m'abandonne, et ma flamme revit.
Ce qui va séparer Rodrigue de Chimène
Avecque mon espoir fait renaître ma peine,
Et leur division que je vois à regret
Dans mon esprit charmé[2] jette un plaisir secret.

LÉONOR

515 Cette haute vertu qui règne dans votre âme
Se rend-elle si tôt à cette lâche flamme[3] ?

L'INFANTE

Ne la nomme point lâche à présent que chez moi
Pompeuse[4] et triomphante elle me fait la loi.
Porte-lui du respect puisqu'elle m'est si chère ;
520 Ma vertu la combat, mais malgré moi j'espère,
Et d'un si fol espoir mon cœur mal défendu
Vole après un amant que Chimène a perdu.

LÉONOR

Vous laissez choir[5] ainsi ce glorieux courage,
Et la raison chez vous perd ainsi son usage ?

L'INFANTE

525 Ah ! qu'avec peu d'effet on entend la raison,
Quand le cœur est atteint d'un si charmant poison !

1. *Ravit :* remplit d'amour. \ **2.** *Charmé :* amoureux. \ **3.** *Flamme :* amour. \ **4.** *Pompeuse :* glorieuse. \ **5.** *Choir :* tomber.

Alors que le malade aime sa maladie,
Il ne peut plus souffrir[1] que l'on y remédie.

LÉONOR

Votre espoir vous séduit, votre mal vous est doux,
30 Mais toujours ce Rodrigue est indigne de vous.

L'INFANTE

Je ne le sais que trop, mais si ma vertu cède
Apprends comme l'amour flatte[2] un cœur qu'il possède.
Si Rodrigue une fois sort vainqueur du combat,
Si dessous sa valeur[3] ce grand guerrier s'abat,
35 Je puis en faire cas, je puis l'aimer sans honte,
Que ne fera-t-il point s'il peut vaincre le Comte ?
J'ose m'imaginer qu'à ses moindres exploits
Les Royaumes entiers tomberont sous ses lois,
Et mon amour flatteur[4] déjà me persuade
40 Que je le vois assis au trône de Grenade,
Les Mores[5] subjugués trembler en l'adorant,
L'Aragon[6] recevoir ce nouveau conquérant,
Le Portugal[7] se rendre, et ses nobles journées[8]
Porter delà les mers ses hautes destinées,
45 Au milieu de l'Afrique arborer ses lauriers :
Enfin tout ce qu'on dit des plus fameux guerriers,
Je l'attends de Rodrigue après cette victoire,
Et fais de son amour un sujet de ma gloire.

LÉONOR

Mais, Madame, voyez où vous portez son bras,
50 Ensuite d'un combat qui peut-être n'est pas.

1. *Souffrir :* supporter. \ **2.** *Flatte :* trompe. \ **3.** *Dessous sa valeur :* sous l'ardeur de ses coups. \ **4.** *Flatteur :* trompeur. \ **5.** *Mores :* peuples arabes ennemis des Espagnols. \ **6.** *Aragon :* royaume indépendant de la Castille, qui lui fut rattaché en 1469. \ **7.** Le Portugal était occupé par les Maures. \ **8.** *Journées :* exploits.

L'INFANTE

Rodrigue est offensé, le Comte a fait l'outrage,
Ils sont sortis ensemble, en faut-il davantage ?

LÉONOR

Je veux que ce combat demeure pour certain.
Votre esprit va-t-il point bien vite pour sa main ?

L'INFANTE

555 Que veux-tu ? je suis folle, et mon esprit s'égare,
Mais c'est le moindre mal que l'amour me prépare,
Viens dans mon cabinet [1] consoler mes ennuis [2],
Et ne me quitte point dans le trouble où je suis.

L'infante espère que si Rodrigue réussit à vaincre le Comte, son rang social montera et elle pourra aimer Rodrigue

Scène 6

LE ROI, DON ARIAS, DON SANCHE, DON ALONSE

LE ROI

Le Comte est donc si vain, et si peu raisonnable !
560 Ose-t-il croire encor son crime pardonnable ?

DON ARIAS

Je l'ai de votre part longtemps entretenu,
J'ai fait mon pouvoir, Sire, et n'ai rien obtenu.

LE ROI

Justes Cieux ! Ainsi donc un sujet téméraire
A si peu de respect, et de soin de me plaire !
565 Il offense Don Diègue, et méprise son Roi !

1. *Cabinet :* pièce close et à l'écart. \ **2.** *Ennuis :* chagrins, peines.

Au milieu de ma Cour il me donne la loi !
Qu'il soit brave guerrier, qu'il soit grand Capitaine,
Je lui rabattrai bien cette humeur[1] si hautaine,
Fût-il la valeur même, et le Dieu des combats,
70 Il verra ce que c'est que de n'obéir pas.
Je sais trop comme il faut dompter cette insolence,
Je l'ai voulu d'abord traiter sans violence,
Mais puisqu'il en abuse, allez dès aujourd'hui,
Soit qu'il résiste, ou non, vous assurer de lui[2].

Don Alonse rentre.

DON SANCHE

75 Peut-être un peu de temps le rendrait moins rebelle,
On l'a pris tout bouillant encor de sa querelle,
Sire, dans la chaleur d'un premier mouvement
Un cœur si généreux se rend malaisément ;
On voit bien qu'on a tort, mais une âme si haute
80 N'est pas si tôt[3] réduite à confesser sa faute.

LE ROI

Don Sanche, taisez-vous, et soyez averti
Qu'on se rend criminel à prendre son parti.

DON SANCHE

J'obéis, et me tais, mais, de grâce encor, Sire,
Deux mots en sa défense.

LE ROI

Et que pourrez-vous dire ?

DON SANCHE

85 Qu'une âme accoutumée aux grandes actions

1. *Humeur :* tempérament. \ **2.** *Vous assurer de lui :* l'arrêter. \ **3.** *Si tôt :* aussi vite.

Ne se peut abaisser à des submissions[1] :
Elle n'en conçoit point qui s'expliquent sans honte,
Et c'est contre ce mot qu'a résisté le Comte.
Il trouve en son devoir un peu trop de rigueur,
590 Et vous obéirait s'il avait moins de cœur[2].
Commandez que son bras, nourri dans les alarmes[3],
Répare cette injure à la pointe des armes,
Il satisfera[4], Sire, et vienne qui voudra,
Attendant qu'il l'ait su, voici qui répondra[5].

LE ROI

595 Vous perdez le respect, mais je pardonne à l'âge,
Et j'estime l'ardeur en un jeune courage ;
Un Roi dont la prudence a de meilleurs objets
Est meilleur ménager du sang de ses sujets.
Je veille pour les miens, mes soucis[6] les conservent,
600 Comme le chef a soin des membres qui le servent :
Ainsi votre raison n'est pas raison pour moi[7] ;
Vous parlez en soldat, je dois agir en Roi,
Et quoi qu'il faille dire, et quoi qu'il veuille croire,
Le Comte à m'obéir ne peut perdre sa gloire.
605 D'ailleurs[8] l'affront me touche, il a perdu d'honneur
Celui que de mon fils j'ai fait le Gouverneur[9],
Et par ce trait hardi d'une insolence extrême
Il s'est pris[10] à mon choix, il s'est pris à moi-même.
C'est moi qu'il satisfait[11] en réparant ce tort.

---

1. *Submissions :* devoirs que l'on doit à un supérieur. \ **2.** *Cœur :* courage. \ **3.** *Alarmes :* appels aux armes. \ **4.** *Satisfera :* donnera satisfaction, réparera ses torts. \ **5.** *Attendant qu'il l'ait su, voici qui répondra :* en attendant qu'il le sache, c'est moi [mon épée] qui en répond. \ **6.** *Soucis :* soins. \ **7.** *Ainsi (...) moi :* vos arguments ne me satisfont pas. \ **8.** À partir de 1660, la fin de la scène est remplacée par celle reproduite p. 119-120. Dans la version de 1637, le roi don Fernand faisait preuve d'un manque de fermeté et de clairvoyance dans la conduite de sa politique militaire contre les Mores. En 1660, il prend des mesures plus radicales et plus efficaces afin de protéger ses sujets. \ **9.** *Gouverneur :* précepteur chargé d'instruire le jeune prince. \ **10.** *S'est pris :* s'en est pris. \ **11.** *C'est moi qu'il satisfait :* c'est à moi qu'il donne satisfaction.

10 N'en parlons plus. Au reste on nous menace fort :
Sur un avis[1] reçu je crains une surprise.

DON ARIAS

Les Mores contre vous font-ils quelque entreprise ?
S'osent-ils préparer à des efforts[2] nouveaux ?

LE ROI

Vers la bouche[3] du fleuve on a vu leurs vaisseaux[4],
15 Et vous n'ignorez pas qu'avec fort peu de peine
Un flux de pleine mer jusqu'ici les amène.

DON ARIAS

Tant de combats perdus leur ont ôté le cœur[5]
D'attaquer désormais un si puissant vainqueur.

LE ROI

N'importe, ils ne sauraient qu'avecque jalousie
20 Voir mon sceptre aujourd'hui régir l'Andalousie[6],
Et ce pays si beau que j'ai conquis sur eux
Réveille à tous moments leurs desseins généreux :
C'est l'unique raison qui m'a fait dans Séville[7]
Placer depuis dix ans le trône de Castille[8],
25 Pour les voir de plus près, et d'un ordre plus prompt
Renverser aussitôt ce qu'ils entreprendront.

DON ARIAS

Sire, ils ont trop appris aux dépens de leurs têtes
Combien votre présence assure vos conquêtes :
Vous n'avez rien à craindre.

1. *Avis :* nouvelle. \ **2.** *Efforts :* assauts. \ **3.** *Bouche :* embouchure. \ **4.** *Vaisseaux :* navires. \ **5.** *Cœur :* courage. \ **6.** *Andalousie :* province espagnole. \ **7.** *Séville :* comme il le rappelle dans son « Examen » (1660), Corneille a modifié la réalité historique au profit de l'unité de lieu. Dans le texte de Guillén de Castro, la bataille se déroule vers Burgos. \ **8.** *Castille :* province espagnole.

Le Roi

Et rien à négliger :

630 Le trop de confiance attire le danger,
Et le même ennemi que l'on vient de détruire,
S'il sait prendre son temps, est capable de nuire.

Don Alonse revient.

Toutefois j'aurais tort de jeter dans les cœurs,
L'avis[1] étant mal sûr[2], de Paniques terreurs,
635 L'effroi que produirait cette alarme inutile
Dans la nuit qui survient troublerait trop la ville :
Puisqu'on fait bonne garde aux murs et sur le port,
Il suffit pour ce soir.

Don Alonse

Sire, le Comte est mort[3],
Don Diègue par son fils a vengé son offense.

Le Roi

640 Dès que j'ai su l'affront, j'ai prévu la vengeance,
Et j'ai voulu dès lors prévenir[4] ce malheur.

Don Alonse

Chimène à vos genoux apporte sa douleur,
Elle vient toute en pleurs vous demander justice.

Le Roi

Bien qu'à ses déplaisirs mon âme compatisse,
645 Ce que le Comte a fait semble avoir mérité
Ce juste châtiment de sa témérité.
Quelque juste pourtant que puisse être sa peine[5],

1. *Avis :* nouvelle. \ **2.** *Mal sûr :* incertain. \ **3.** À partir de 1660, la scène 7 commence à ce vers. Ce nouveau découpage permet de clore la scène 6 sur une décision royale forte. \ **4.** *Prévenir :* éviter. \ **5.** *Peine :* punition.

Je ne puis sans regret perdre un tel Capitaine;
Après un long service à mon État rendu,
Après son sang pour moi mille fois répandu,
À quelques sentiments que son orgueil m'oblige,
Sa perte m'affaiblit, et son trépas[1] m'afflige.

Scène 7

LE ROI, DON DIÈGUE, CHIMÈNE,
DON SANCHE, DON ARIAS, DON ALONSE

CHIMÈNE

Sire, Sire, justice.

DON DIÈGUE

Ah! Sire, écoutez-nous.

CHIMÈNE

Je me jette à vos pieds.

DON DIÈGUE

J'embrasse vos genoux.

CHIMÈNE

Je demande justice.

DON DIÈGUE

Entendez ma défense.

CHIMÈNE

Vengez-moi d'une mort…

1. *Trépas* : mort.

DON DIÈGUE

Qui punit l'insolence.

CHIMÈNE

Rodrigue, Sire…

DON DIÈGUE

A fait un coup d'homme de bien.

CHIMÈNE

Il a tué mon père.

DON DIÈGUE

Il a vengé le sien.

CHIMÈNE

Au sang de ses sujets un Roi doit la justice.

DON DIÈGUE

660 Une vengeance juste est sans peur du supplice[1].

LE ROI

Levez-vous l'un et l'autre, et parlez à loisir.
Chimène, je prends part à votre déplaisir,
D'une égale douleur je sens mon âme atteinte,
Vous parlerez après, ne troublez pas sa plainte[2].

CHIMÈNE

665 Sire, mon père est mort, mes yeux ont vu son sang
Couler à gros bouillons de son généreux flanc,
Ce sang qui tant de fois garantit vos murailles,
Ce sang qui tant de fois vous gagna des batailles,

1. *Supplice :* châtiment. \ 2. *Vous parlerez {…} plainte :* le roi s'adresse dans ce vers à don Diègue.

Ce sang qui tout sorti fume encor de courroux[1]
70 De se voir répandu pour d'autres que pour vous,
Qu'au milieu des hasards[2] n'osait verser la guerre,
Rodrigue en votre Cour vient d'en couvrir la terre,
Et pour son coup d'essai son indigne attentat[3]
D'un si ferme soutien a privé votre État,
75 De vos meilleurs soldats abattu l'assurance[4],
Et de vos ennemis relevé l'espérance.
J'arrivai sur le lieu sans force et sans couleur,
Je le trouvai sans vie. Excusez ma douleur,
Sire, la voix me manque à ce récit funeste,
80 Mes pleurs et mes soupirs vous diront mieux le reste.

LE ROI

Prends courage, ma fille, et sache qu'aujourd'hui
Ton Roi te veut servir de père au lieu de lui.

CHIMÈNE

Sire, de trop d'honneur ma misère[5] est suivie.
J'arrivai donc sans force, et le trouvai sans vie,
85 Il ne me parla point mais pour mieux m'émouvoir
Son sang sur la poussière écrivait mon devoir,
Ou plutôt sa valeur en cet état réduite
Me parlait par sa plaie et hâtait ma poursuite[6],
Et pour se faire entendre au plus juste des Rois
90 Par cette triste bouche elle empruntait ma voix.
Sire, ne souffrez pas que sous votre puissance
Règne devant vos yeux une telle licence[7],
Que les plus valeureux avec impunité
Soient exposés aux coups de la témérité,

1. *Courroux :* colère. \ **2.** *Hasards :* dangers. \ **3.** *Attentat :* crime. \ **4.** *Assurance :* confiance.
\ **5.** *Misère :* malheur. \ **6.** *Poursuite :* requête (sens judiciaire). \ **7.** *Licence :* désordre.

695 Qu'un jeune audacieux triomphe de leur gloire,
Se baigne dans leur sang, et brave leur mémoire,
Un si vaillant guerrier qu'on vient de vous ravir
Éteint, s'il n'est vengé, l'ardeur de vous servir.
Enfin mon père est mort, j'en demande vengeance,
700 Plus pour votre intérêt que pour mon allégeance[1] ;
Vous perdez en la mort d'un homme de son rang,
Vengez-la par une autre, et le sang par le sang,
Sacrifiez Don Diègue, et toute sa famille,
À vous, à votre peuple, à toute la Castille[2],
705 Le Soleil qui voit tout ne voit rien sous les Cieux
Qui vous puisse payer un sang si précieux.

Le Roi

Don Diègue, répondez.

Don Diègue

Qu'on est digne d'envie
Quand avecque la force on perd aussi la vie,
Sire, et que l'âge apporte aux hommes généreux
710 Avecque sa faiblesse, un destin malheureux !
Moi dont les longs travaux ont acquis tant de gloire,
Moi que jadis partout a suivi la victoire,
Je me vois aujourd'hui pour avoir trop vécu
Recevoir un affront, et demeurer vaincu.
715 Ce que n'a pu jamais combat, siège, embuscade,
Ce que n'a pu jamais Aragon, ni Grenade[3],
Ni tous vos ennemis, ni tous mes envieux,
L'orgueil dans votre Cour l'a fait presque à vos yeux,
Et souillé sans respect l'honneur de ma vieillesse,

1. *Allégeance :* soulagement. \ 2. *Castille :* province espagnole. \ 3. Aragon et Grenade sont des provinces espagnoles.

Avantagé de l'âge, et fort de ma faiblesse.
Sire, ainsi ces cheveux blanchis sous le harnois[1],
Ce sang pour vous servir prodigué tant de fois,
Ce bras jadis l'effroi d'une armée ennemie,
Descendaient au tombeau tous chargés d'infamie,
Si je n'eusse produit un fils digne de moi,
Digne de son pays, et digne de son Roi.
Il m'a prêté sa main, il a tué le Comte,
Il m'a rendu l'honneur, il a lavé ma honte.
Si montrer du courage et du ressentiment,
Si venger un soufflet[2] mérite un châtiment,
Sur moi seul doit tomber l'éclat de la tempête :
Quand le bras a failli l'on en punit la tête ;
Du crime glorieux qui cause nos débats,
Sire, j'en suis la tête, il n'en est que le bras,
Si Chimène se plaint qu'il a tué son père,
Il ne l'eût jamais fait, si je l'eusse pu faire.
Immolez donc ce chef[3] que les ans vont ravir,
Et conservez pour vous le bras qui peut servir,
Aux dépens de mon sang satisfaites Chimène,
Je n'y résiste point, je consens à ma peine,
Et loin de murmurer d'un injuste décret
Mourant sans déshonneur je mourrai sans regret.

LE ROI

L'affaire est d'importance et, bien considérée,
Mérite en plein conseil d'être délibérée.
Don Sanche, remettez Chimène en sa maison,
Don Diègue aura ma Cour et sa foi pour prison.
Qu'on me cherche son fils. Je vous ferai justice.

1. *Harnois :* armure du chevalier. \ 2. *Soufflet :* gifle. \ 3. *Ce chef :* cette tête.

CHIMÈNE

Il est juste, grand Roi, qu'un meurtrier périsse.

LE ROI

Prends du repos, ma fille, et calme tes douleurs.

CHIMÈNE

750 M'ordonner du repos, c'est croître mes malheurs.

FIN DU DEUXIÈME ACTE

Acte III

Scène première

DON RODRIGUE, ELVIRE

ELVIRE

Rodrigue, qu'as-tu fait ? où viens-tu, misérable ?

DON RODRIGUE

Suivre le triste cours de mon sort déplorable.

ELVIRE

Où prends-tu cette audace et ce nouvel orgueil
De paraître en des lieux que tu remplis de deuil ?
755 Quoi ? viens-tu jusqu'ici braver l'ombre du Comte ?
Ne l'as-tu pas tué ?

DON RODRIGUE

Sa vie était ma honte,
Mon honneur de ma main a voulu cet effort [1].

ELVIRE

Mais chercher ton asile en la maison du mort !
Jamais un meurtrier en fit-il son refuge ?

---

1. *Effort :* fait d'arme.

DON RODRIGUE

760 Jamais un meurtrier s'offrit-il à son Juge ?
Ne me regarde plus d'un visage étonné,
Je cherche le trépas après l'avoir donné,
Mon Juge est mon amour, mon Juge est ma Chimène,
Je mérite la mort de mériter sa haine,
765 Et j'en viens recevoir comme un bien souverain,
Et l'arrêt[1] de sa bouche, et le coup de sa main.

ELVIRE

Fuis plutôt de ses yeux, fuis de sa violence,
À ses premiers transports[2] dérobe ta présence ;
Va, ne t'expose point aux premiers mouvements
770 Que poussera l'ardeur de ses ressentiments.

DON RODRIGUE

Non, non, ce cher objet à qui j'ai pu déplaire
Ne peut pour mon supplice avoir trop de colère,
Et d'un heur[3] sans pareil je me verrai combler
Si pour mourir plutôt je la puis redoubler.

ELVIRE

775 Chimène est au Palais de pleurs toute baignée,
Et n'en reviendra point que bien accompagnée :
Rodrigue, fuis de grâce, ôte-moi de souci,
Que ne dira-t-on point si l'on te voit ici ?
Veux-tu qu'un médisant l'accuse en sa misère[4]
780 D'avoir reçu chez soi l'assassin de son père ?
Elle va revenir, elle vient, je la vois.
Du moins pour son honneur, Rodrigue, cache-toi.

Il se cache.

Elvire dit à Rodrigue que c'est inconcevable qu'il vienne dans la maison de la personne qu'il a tué

1. *Arrêt :* sens juridique, décret de mort. \ 2. *Transports :* fureurs. \ 3. *Heur :* bonheur. \ 4. *Misère :* malheur.

Rodrigue veut que Chimène le tue plutôt que quelqu'un d'autre le tue

Scène 2

DON SANCHE, CHIMÈNE, ELVIRE

DON SANCHE

Oui, Madame, il vous faut de sanglantes victimes,
Votre colère est juste, et vos pleurs légitimes,
85 Et je n'entreprends pas à force de parler,
Ni de vous adoucir, ni de vous consoler.
Mais si de vous servir je puis être capable,
Employez mon épée à punir le coupable,
Employez mon amour à venger cette mort,
90 Sous vos commandements mon bras sera trop fort.

CHIMÈNE

Malheureuse !

DON SANCHE

Madame, acceptez mon service[1].

CHIMÈNE

J'offenserais le Roi, qui m'a promis justice.

DON SANCHE

Vous savez qu'elle marche avec tant de langueur[2]
Que bien souvent le crime échappe à sa longueur,
95 Son cours lent et douteux fait trop perdre de larmes ;
Souffrez qu'un Chevalier vous venge par les armes,
La voie en est plus sûre, et plus prompte à punir.

1. *Acceptez mon service :* acceptez que je vous serve. \ **2.** *Avec tant de langueur :* si lentement.

CHIMÈNE

C'est le dernier remède, et s'il y faut venir[1],
Et que de mes malheurs cette pitié vous dure[2],
800 Vous serez libre alors de venger mon injure.

DON SANCHE

C'est l'unique bonheur où mon âme prétend,
Et pouvant l'espérer je m'en vais trop content.

Il se propose de tuer ~~Et~~ Rodrigue parce qu'il est amoureux de Chimène

Scène 3

CHIMÈNE, ELVIRE

CHIMÈNE

Enfin je me vois libre, et je puis sans contrainte
De mes vives douleurs te faire voir l'atteinte[3],
805 Je puis donner passage à mes tristes soupirs,
Je puis t'ouvrir mon âme, et tous mes déplaisirs.
Mon père est mort, Elvire, et la première épée
Dont s'est armé Rodrigue a sa trame coupée[4].
Pleurez, pleurez mes yeux, et fondez-vous en eau,
810 La moitié de ma vie a mis l'autre au tombeau,
Et m'oblige à venger, après ce coup funeste,
Celle que je n'ai plus, sur celle qui me reste.

ELVIRE

Reposez-vous, Madame.

1. *Venir :* recourir. \ **2.** *Et que de mes malheurs cette pitié vous dure :* et si vous continuez à avoir pitié de mon malheur. \ **3.** *Atteinte :* portée. \ **4.** *A sa trame coupée :* lui a ôté la vie.

CHIMÈNE

Ah ! que mal à propos
Ton avis importun m'ordonne du repos !
815 Par où sera jamais mon âme satisfaite[1]
Si je pleure ma perte, et la main qui l'a faite ?
Et que puis-je espérer qu'un tourment éternel
Si je poursuis un crime aimant le criminel ?

ELVIRE

Il vous prive d'un père, et vous l'aimez encore !

CHIMÈNE

820 C'est peu de dire aimer, Elvire, je l'adore :
Ma passion s'oppose à mon ressentiment,
Dedans mon ennemi je trouve mon amant[2],
Et je sens qu'en dépit de toute ma colère
Rodrigue dans mon cœur combat encor mon père.
825 Il l'attaque, il le presse, il cède, il se défend,
Tantôt fort, tantôt faible, et tantôt triomphant :
Mais en ce dur combat de colère et de flamme[3]
Il déchire mon cœur sans partager mon âme,
Et quoi que mon amour ait sur moi de pouvoir
830 Je ne consulte point pour suivre mon devoir,
Je cours sans balancer[4] où mon honneur m'oblige ;
Rodrigue m'est bien cher, son intérêt m'afflige,
Mon cœur prend son parti, mais contre leur effort
Je sais que je suis fille, et que mon père est mort.

---

1. *Par où (...) satisfaite :* comment mon âme obtiendra-t-elle satisfaction ? **\ 2.** *Amant :* au XVIIe siècle, le terme signifie « amoureux », « soupirant ». **\ 3.** *Flamme :* amour. **\ 4.** *Balancer :* hésiter.

ELVIRE

835 Pensez-vous le poursuivre[1]?

CHIMÈNE

Ah ! cruelle pensée,
Et cruelle poursuite[2] où je me vois forcée !
Je demande sa tête, et crains de l'obtenir,
Ma mort suivra la sienne, et je le veux punir.

ELVIRE

Quittez, quittez, Madame, un dessein si tragique,
840 Ne vous imposez point de loi si tyrannique.

CHIMÈNE

Quoi ? J'aurai vu mourir mon père entre mes bras
Son sang criera vengeance et je ne l'orrai[3] pas !
Mon cœur honteusement surpris par d'autres charmes
Croira ne lui devoir que d'impuissantes larmes !
845 Et je pourrai souffrir qu'un amour suborneur[4]
Dans un lâche silence étouffe mon honneur !

ELVIRE

Madame, croyez-moi, vous serez excusable
De conserver pour vous un homme incomparable,
Un amant[5] si chéri ; vous avez assez fait,
850 Vous avez vu le Roi, n'en pressez point d'effet,
Ne vous obstinez point en cette humeur étrange.

1. *Poursuivre :* exercer des poursuites (sens judiciaire). \ **2.** *Poursuite :* requête (sens judiciaire), action en justice. \ **3.** *Orrai :* entendrai. \ **4.** *Suborneur :* qui écarte du devoir, de l'honneur. \ **5.** *Amant :* amoureux.

CHIMÈNE

Il y va de ma gloire, il faut que je me venge,
Et de quoi que nous flatte un désir amoureux,
Toute excuse est honteuse aux esprits généreux.

ELVIRE

Mais vous aimez Rodrigue, il ne vous peut déplaire.

CHIMÈNE

Je l'avoue.

ELVIRE

Après tout que pensez-vous donc faire ?

CHIMÈNE

Pour conserver ma gloire, et finir mon ennui[1],
Le poursuivre[2], le perdre, et mourir après lui.

Chimène est partagée entre son amour et son honneur. Elle décide de le poursuivre en cour mais après se tuer elle même.

Scène 4

DON RODRIGUE, CHIMÈNE, ELVIRE

DON RODRIGUE

Eh bien, sans vous donner la peine de poursuivre,
Saoulez-vous du plaisir de m'empêcher de vivre.

CHIMÈNE

Elvire, où sommes-nous ? et qu'est-ce que je vois ?
Rodrigue en ma maison ! Rodrigue devant moi !

1. *Ennui :* chagrin extrême, désagrément insupportable. \2. *Poursuivre :* sens judiciaire.

Don Rodrigue

N'épargnez point mon sang, goûtez sans résistance
La douceur de ma perte et de votre vengeance.

Chimène

865 Hélas!

Don Rodrigue

Écoute-moi.

Chimène

Je me meurs.

Don Rodrigue

Un moment.

Chimène

Va, laisse-moi mourir.

Don Rodrigue

Quatre mots seulement,
Après ne me réponds qu'avecque cette épée.

Chimène

Quoi? du sang de mon père encor toute trempée[1]!

Don Rodrigue

Ma Chimène.

Chimène

Ôte-moi cet objet odieux
870 Qui reproche ton crime et ta vie à mes yeux.

1. Ce vers fit scandale car il fut jugé malséant.

DON RODRIGUE

Regarde-le plutôt pour exciter ta haine,
Pour croître ta colère, et pour hâter ma peine[1].

CHIMÈNE

Il est teint de mon sang.

DON RODRIGUE

Plonge-le dans le mien,
Et fais-lui perdre ainsi la teinture du tien.

CHIMÈNE

775 Ah! quelle cruauté, qui tout en un jour tue
Le père par le fer[2], la fille par la vue!
Ôte-moi cet objet, je ne le puis souffrir[3],
Tu veux que je t'écoute et tu me fais mourir.

DON RODRIGUE

Je fais ce que tu veux, mais sans quitter l'envie
780 De finir par tes mains ma déplorable vie;
Car enfin n'attends pas de mon affection
Un lâche repentir d'une bonne action :
De la main de ton père un coup irréparable
Déshonorait du mien la vieillesse honorable,
785 Tu sais comme un soufflet[4] touche un homme de cœur[5];
J'avais part à l'affront, j'en ai cherché l'auteur,
Je l'ai vu, j'ai vengé mon honneur et mon père,
Je le ferais encor, si j'avais à le faire.
Ce n'est pas qu'en effet contre mon père et moi
790 Ma flamme[6] assez longtemps n'ait combattu pour toi :

1. *Peine :* châtiment. \ **2.** *Le fer :* l'épée. \ **3.** *Souffrir :* supporter. \ **4.** *Soufflet :* gifle. \ **5.** *Homme de cœur :* homme d'honneur. \ **6.** *Ma flamme :* mon amour, mon sentiment amoureux.

Juge de son pouvoir ; dans une telle offense
J'ai pu douter encor si j'en prendrais vengeance,
Réduit à te déplaire, ou souffrir un affront,
J'ai retenu ma main, j'ai cru mon bras trop prompt,
895 Je me suis accusé de trop de violence :
Et ta beauté sans doute emportait la balance[1],
Si je n'eusse opposé contre tous tes appas
Qu'un homme sans honneur ne te méritait pas,
Qu'après m'avoir chéri quand je vivais sans blâme
900 Qui m'aima généreux, me haïrait infâme,
Qu'écouter ton amour, obéir à sa voix,
C'était m'en rendre indigne et diffamer[2] ton choix.
Je te le dis encore, et veux, tant que j'expire,
Sans cesse le penser et sans cesse le dire :
905 Je t'ai fait une offense, et j'ai dû m'y porter[3],
Pour effacer ma honte et pour te mériter.
Mais, quitte envers l'honneur, et quitte envers mon père,
C'est maintenant à toi que je viens satisfaire[4],
C'est pour t'offrir mon sang qu'en ce lieu tu me vois,
910 J'ai fait ce que j'ai dû, je fais ce que je dois.
Je sais qu'un père mort t'arme contre mon crime,
Je ne t'ai pas voulu dérober ta victime,
Immole[5] avec courage au sang qu'il a perdu
Celui qui met sa gloire à l'avoir répandu.

CHIMÈNE

915 Ah Rodrigue ! il est vrai, quoique ton ennemie,
Je ne te puis blâmer d'avoir fui l'infamie[6],
Et de quelque façon qu'éclatent mes douleurs,

---

1. *Balance :* décision. \ **2.** *Diffamer :* faire honte à. \ **3.** *M'y porter :* m'y résoudre. \ **4.** *C'est maintenant {…} satisfaire :* c'est maintenant à toi que je viens donner satisfaction, je viens réparer mes torts envers toi. \ **5.** *Immole :* sacrifie. \ **6.** *Infamie :* déshonneur.

Je ne t'accuse point, je pleure mes malheurs.
Je sais ce que l'honneur, après un tel outrage,
20 Demandait à l'ardeur d'un généreux courage,
Tu n'as fait le devoir que d'un homme de bien ;
Mais aussi, le faisant, tu m'as appris le mien.
Ta funeste valeur m'instruit par ta victoire ;
Elle a vengé ton père et soutenu ta gloire,
25 Même soin me regarde, et j'ai, pour m'affliger,
Ma gloire à soutenir, et mon père à venger.
Hélas ! ton intérêt ici me désespère.
Si quelque autre malheur m'avait ravi mon père,
Mon âme aurait trouvé dans le bien de te voir
30 L'unique allégement [1] qu'elle eût pu recevoir,
Et contre ma douleur j'aurais senti des charmes
Quand une main si chère eût essuyé mes larmes.
Mais il me faut te perdre après l'avoir perdu ;
Et pour mieux tourmenter mon esprit éperdu,
35 Avec tant de rigueur mon astre [2] me domine,
Qu'il me faut travailler moi-même à ta ruine [3] ;
Car enfin n'attends pas de mon affection
De lâches sentiments pour ta punition :
De quoi qu'en ta faveur notre amour m'entretienne
40 Ma générosité doit répondre à la tienne,
Tu t'es en m'offensant montré digne de moi,
Je me dois par ta mort montrer digne de toi.

DON RODRIGUE

Ne diffère donc plus ce que l'honneur t'ordonne,
Il demande ma tête et je te l'abandonne,
45 Fais-en un sacrifice à ce noble intérêt,

1. *Allégement :* soulagement. \ 2. *Astre :* destin. \ 3. *Ruine :* perte.

Le coup m'en sera doux aussi bien que l'arrêt[1].
Attendre après mon crime une lente justice
C'est reculer ta gloire autant que mon supplice,
Je mourrai trop heureux mourant d'un coup si beau.

Chimène

950 Va, je suis ta partie[2], et non pas ton bourreau.
Si tu m'offres ta tête, est-ce à moi de la prendre ?
Je la dois attaquer, mais tu dois la défendre,
C'est d'un autre que toi qu'il me faut l'obtenir
Et je dois te poursuivre[3] et non pas te punir.

Don Rodrigue

955 De quoi qu'en ma faveur notre amour t'entretienne,
Ta générosité doit répondre à la mienne.
Et pour venger un père emprunter d'autres bras,
Ma Chimène, crois-moi, c'est n'y répondre pas :
Ma main seule du mien a su venger l'offense,
960 Ta main seule du tien doit prendre la vengeance.

Chimène

Cruel, à quel propos sur ce point t'obstiner ?
Tu t'es vengé sans aide et tu m'en veux donner !
Je suivrai ton exemple, et j'ai trop de courage
Pour souffrir qu'avec toi ma gloire se partage :
965 Mon père et mon honneur ne veulent rien devoir
Aux traits de ton amour, ni de ton désespoir.

Don Rodrigue

Rigoureux point d'honneur ! hélas ! quoi que je fasse
Ne pourrai-je à la fin obtenir cette grâce ?

---

1. *Arrêt :* sens juridique, décret de mort. \ **2.** *Partie :* sens judiciaire, partie adverse lors d'un procès. \ **3.** *Poursuivre :* exercer des poursuites (sens judiciaire).

Au nom d'un père mort, ou de notre amitié,
Punis-moi par vengeance, ou du moins par pitié,
Ton malheureux amant[1] aura bien moins de peine
À mourir par ta main, qu'à vivre avec ta haine.

CHIMÈNE

Va, je ne te hais point.

DON RODRIGUE

Tu le dois.

CHIMÈNE

Je ne puis.

DON RODRIGUE

Crains-tu si peu le blâme, et si peu les faux bruits ?
Quand on saura mon crime et que ta flamme[2] dure,
Que ne publieront[3] point l'envie et l'imposture ?
Force-les au silence, et sans plus discourir
Sauve ta renommée en me faisant mourir.

CHIMÈNE

Elle éclate bien mieux en te laissant en vie,
Et je veux que la voix de la plus noire envie
Élève au Ciel ma gloire, et plaigne mes ennuis[4],
Sachant que je t'adore et que je te poursuis[5].
Va-t'en, ne montre plus à ma douleur extrême
Ce qu'il faut que je perde, encore que je l'aime,
Dans l'ombre de la nuit cache bien ton départ,
Si l'on te voit sortir, mon honneur court hasard[6],

1. *Amant :* au XVIIe siècle, le terme signifie « amoureux », « soupirant ». \ **2.** *Flamme :* amour, sentiment amoureux. \ **3.** *Publieront :* rendront public. \ **4.** *Ennuis :* chagrin extrême, désagrément insupportable. \ **5.** *Je te poursuis :* j'exerce des poursuites contre toi (sens judiciaire). \ **6.** *Court hasard :* est en péril.

La seule occasion qu'aura la médisance
C'est de savoir qu'ici j'ai souffert[1] ta présence,
Ne lui donne point lieu d'attaquer ma vertu.

Don Rodrigue

990 Que je meure.

Chimène

Va-t'en.

Don Rodrigue

À quoi te résous-tu ?

Chimène

Malgré des feux[2] si beaux qui rompent ma colère,
Je ferai mon possible à bien venger mon père,
Mais malgré la rigueur d'un si cruel devoir,
Mon unique souhait est de ne rien pouvoir.

Don Rodrigue

995 Ô miracle d'amour !

Chimène

Mais comble de misères.

Don Rodrigue

Que de maux et de pleurs nous coûteront nos pères !

Chimène

Rodrigue, qui l'eût cru !

Don Rodrigue

Chimène, qui l'eût dit !

---

1. *Souffert :* toléré. \ **2.** *Feux :* sentiments amoureux.

Chimène
Que notre heur[1] fût si proche et si tôt se perdît !

Don Rodrigue
Et que si près du port[2], contre toute apparence,
Un orage si prompt brisât notre espérance !

Chimène
Ah, mortelles douleurs !

Don Rodrigue
Ah, regrets superflus !

Chimène
Va-t'en, encore un coup, je ne t'écoute plus.

Don Rodrigue
Adieu je vais traîner une mourante vie,
Tant que[3] par ta poursuite[4] elle me soit ravie[5].

Chimène
Si j'en obtiens l'effet, je te donne ma foi[6]
De ne respirer pas un moment après toi.
Adieu, sors, et surtout garde bien[7] qu'on te voie.

Elvire
Madame, quelques maux que le Ciel nous envoie…

Chimène
Ne m'importune plus, laisse-moi soupirer,
Je cherche le silence, et la nuit pour pleurer.

1. *Heur :* bonheur. **\2.** *Port :* but. **\3.** *Tant que :* jusqu'à ce que. **\4.** *Par ta poursuite :* à cause des poursuites que tu exerces contre moi (sens judiciaire). **\5.** *Ravie :* ôtée. **\6.** *Foi :* promesse, serment. **\7.** *Garde bien :* prends garde.

Scène 5

DON DIÈGUE, *seul.*

Jamais nous ne goûtons de parfaite allégresse,
Nos plus heureux succès sont mêlés de tristesse,
Toujours quelques soucis en ces événements
Troublent la pureté de nos contentements :
1015 Au milieu du bonheur mon âme en sent l'atteinte,
Je nage dans la joie et je tremble de crainte,
J'ai vu mort l'ennemi qui m'avait outragé,
Et je ne saurais voir la main qui m'a vengé,
En vain je m'y travaille [1] et d'un soin inutile
1020 Tout cassé que je suis je cours toute la ville,
Si peu que mes vieux ans m'ont laissé de vigueur [2]
Se consomme sans fruit à chercher ce vainqueur.
À toute heure, en tous lieux, dans une nuit si sombre,
Je pense l'embrasser, et n'embrasse qu'une ombre,
1025 Et mon amour, déçu [3] par cet objet trompeur,
Se forme des soupçons qui redoublent ma peur,
Je ne découvre point de marques [4] de sa fuite,
Je crains du Comte mort les amis et la suite ;
Leur nombre m'épouvante et confond ma raison,
1030 Rodrigue ne vit plus, ou respire en prison.
Justes Cieux ! me trompé-je encore à l'apparence,
Ou si je vois enfin mon unique espérance ?
C'est lui, n'en doutons plus, mes vœux sont exaucés ;
Ma crainte est dissipée, et mes ennuis cessés [5].

• il a peur des reproches des amis du Comte
• Rodrigue n'est pas mort

1. *M'y travaille :* m'y efforce. \ 2. *Si peu que (...) vigueur :* le peu que mes vieux ans m'ont laissé de force. \ 3. *Déçu :* trompé. \ 4. *Marques :* signes. \ 5. *Mes ennuis cessés :* mes chagrins finis.

Scène 6

DON DIÈGUE, DON RODRIGUE

DON DIÈGUE

35 Rodrigue, enfin le Ciel permet que je te voie !

DON RODRIGUE

Hélas !

DON DIÈGUE

Ne mêle point de soupirs à ma joie ;
Laisse-moi prendre haleine afin de te louer[1],
Ma valeur n'a point lieu de te désavouer,
Tu l'as bien imitée, et ton illustre audace
40 Fait bien revivre en toi les Héros de ma race ;
C'est d'eux que tu descends, c'est de moi que tu viens,
Ton premier coup d'épée égale tous les miens,
Et d'une belle ardeur ta jeunesse animée
Par cette grande épreuve atteint ma renommée.
45 Appui de ma vieillesse, et comble de mon heur[2],
Touche ces cheveux blancs à qui tu rends l'honneur,
Viens baiser[3] cette joue et reconnais la place[4]
Où fut jadis l'affront que ton courage efface.

DON RODRIGUE

L'honneur vous en est dû, les Cieux me sont témoins
50 Qu'étant sorti de vous[5] je ne pouvais pas moins ;
Je me tiens trop heureux, et mon âme est ravie
Que mon coup d'essai plaise à qui je dois la vie :
Mais parmi vos plaisirs ne soyez point jaloux

---

1. *Louer :* rendre hommage. \ **2.** *Heur :* bonheur. \ **3.** *Baiser :* embrasser. \ **4.** *Place :* endroit. \ **5.** *Sorti de vous :* né de vous.

Si j'ose satisfaire à moi-même après vous ;
1055 Souffrez qu'en liberté mon désespoir éclate,
Assez et trop longtemps votre discours le flatte,
Je ne me repens point de vous avoir servi,
Mais rendez-moi le bien que ce coup m'a ravi,
Mon bras pour vous venger armé contre ma flamme [1]
1060 Par ce coup glorieux m'a privé de mon âme [2],
Ne me dites plus rien, pour vous j'ai tout perdu.
Ce que je vous devais, je vous l'ai bien rendu.

Don Diègue

Porte encore plus haut le fruit de ta victoire.
Je t'ai donné la vie, et tu me rends ma gloire,
1065 Et d'autant que l'honneur m'est plus cher que le jour,
D'autant plus maintenant je te dois de retour [3].
Mais d'un si brave cœur éloigne ces faiblesses,
Nous n'avons qu'un honneur, il est tant de maîtresses ;
Maxime ← [L'amour n'est qu'un plaisir, et l'honneur un devoir.]

Don Rodrigue

1070 Ah ! que me dites-vous ?

Don Diègue

Ce que tu dois savoir.

Don Rodrigue

Mon honneur offensé sur moi-même se venge,
Et vous m'osez pousser à la honte du change [4] !
L'infamie [5] est pareille et suit également
Le guerrier sans courage et le perfide amant [6].
1075 À ma fidélité ne faites point d'injure,

Don Diègue et fier + heureux

1. *Flamme :* amour, sentiment amoureux. \ 2. *Âme :* amour (Chimène). \ 3. *Je te dois de retour :* je te dois en échange. \ 4. *Change :* infidélité. \ 5. *Infamie :* déshonneur. \ 6. *Amant :* au XVIIe siècle, le terme signifie « amoureux », « soupirant ».

Rodrigue annonce qu'il veut mourir

Souffrez-moi généreux sans me rendre parjure[1],
Mes liens sont trop forts pour être ainsi rompus,
Ma foi[2] m'engage encor si je n'espère plus,
Et ne pouvant quitter ni posséder Chimène,
10 Le trépas que je cherche est ma plus douce peine.

DON DIÈGUE

Il n'est pas temps encor de chercher le trépas,
Ton Prince et ton pays ont besoin de ton bras.
La flotte qu'on craignait dans ce grand fleuve[3] entrée
Vient surprendre la ville et piller la contrée,
5 Les Mores vont descendre et le flux et la nuit
Dans une heure à nos murs les amène sans bruit,
La Cour est en désordre et le peuple en alarmes,
On n'entend que des cris, on ne voit que des larmes :
Dans ce malheur public mon bonheur a permis
0 Que j'aie trouvé chez moi cinq cents de mes amis,
Qui sachant mon affront poussés d'un même zèle
Venaient m'offrir leur vie à venger ma querelle.
Tu les as prévenus[4], mais leurs vaillantes mains
Se tremperont bien mieux au sang des Africains.
5 Va marcher à leur tête où l'honneur te demande,
C'est toi que veut pour Chef leur généreuse bande :
De ces vieux ennemis va soutenir l'abord[5],
Là, si tu veux mourir, trouve une belle mort,
Prends-en l'occasion puisqu'elle t'est offerte,
0 Fais devoir à ton Roi son salut à ta perte.
Mais reviens-en plutôt les palmes[6] sur le front,
Ne borne pas ta gloire à venger un affront,

1. *Parjure :* traître à ma parole. \ 2. *Foi :* promesse, serment. \ 3. Il s'agit du Guadalquivir. \ 4. *Tu les as prévenus :* tu les as devancés, tu es arrivé ici avant eux. \ 5. *L'abord :* l'attaque. \ 6. *Palmes :* lauriers.

Pousse-la plus avant, force par ta vaillance
La justice au pardon et Chimène au silence;
1105 Si tu l'aimes, apprends que retourner vainqueur
C'est l'unique moyen de regagner son cœur.
Mais le temps est trop cher pour le perdre en paroles,
Je t'arrête en discours et je veux que tu voles,
Viens, suis-moi, va combattre, et montrer à ton Roi
1110 Que ce qu'il perd au Comte il le recouvre[1] en toi.

FIN DU TROISIÈME ACTE

Il y a la guerre (Mores envahissent)
Au lieu de mourir pour l'amour D Diègue
veut que Rodrigue aille se battre et
qu'il meurt à la guerre.

1. *Recouvre :* retrouve.

Acte IV

Scène première

CHIMÈNE, ELVIRE

CHIMÈNE

N'est-ce point un faux bruit[1] ? le sais-tu bien, Elvire ?

ELVIRE

Vous ne croiriez jamais comme chacun l'admire,
Et porte jusqu'au Ciel d'une commune voix
De ce jeune Héros les glorieux exploits.
15 Les Mores devant lui n'ont paru qu'à leur honte,
Leur abord[2] fut bien prompt, leur fuite encor plus prompte,
Trois heures de combat laissent à nos guerriers
Une victoire entière et deux Rois prisonniers ;
La valeur[3] de leur chef ne trouvait point d'obstacles.

CHIMÈNE

20 Et la main de Rodrigue a fait tous ces miracles !

ELVIRE

De ses nobles efforts ces deux Rois sont le prix,
Sa main les a vaincus et sa main les a pris.

---

1. *Faux bruit :* fausse rumeur. \ **2.** *Abord :* arrivée. \ **3.** *Valeur :* courage.

CHIMÈNE

De qui peux-tu savoir ces nouvelles étranges ?

ELVIRE

Du peuple qui partout fait sonner ses louanges,
1125 Le nomme de sa joie, et l'objet, et l'auteur,
Son Ange tutélaire[1], et son libérateur.

CHIMÈNE

Et le Roi, de quel œil voit-il tant de vaillance ?

ELVIRE

Rodrigue n'ose encor paraître en sa présence,
Mais Don Diègue ravi lui présente enchaînés
1130 Au nom de ce vainqueur ces captifs couronnés,
Et demande pour grâce à ce généreux Prince
Qu'il daigne voir la main qui sauve sa Province.

CHIMÈNE

Mais n'est-il point blessé ?

ELVIRE

Je n'en ai rien appris.
Vous changez de couleur, reprenez vos esprits.

CHIMÈNE

1135 Reprenons donc aussi ma colère affaiblie.
Pour avoir soin de lui faut-il que je m'oublie ?
On le vante, on le loue et mon cœur y consent !
Mon honneur est muet, mon devoir impuissant !
Silence mon amour, laisse agir ma colère,
1140 S'il a vaincu deux Rois, il a tué mon père,

1. *Tutélaire :* protecteur.

Ces tristes vêtements où je lis mon malheur
Sont les premiers effets qu'ait produits sa valeur,
Et combien que pour lui tout un peuple s'anime,
Ici tous les objets me parlent de son crime.
Vous qui rendez la force à mes ressentiments,
Voile, crêpes[1], habits, lugubres ornements,
Pompe[2] où m'ensevelit sa première victoire,
Contre ma passion soutenez bien ma gloire
Et lorsque mon amour prendra trop de pouvoir,
Parlez à mon esprit de mon triste devoir,
Attaquez sans rien craindre une main triomphante.

ELVIRE

Modérez ces transports, voici venir l'Infante.

Rodrigue a gagné à la guerre
Chimène s'inquiète pour lui ~~mais~~
ses vêtements de deuil lui rappellent la mort de son père

Scène 2

L'INFANTE, CHIMÈNE, LÉONOR, ELVIRE

L'INFANTE

Je ne viens pas ici consoler tes douleurs
Je viens plutôt mêler mes soupirs à tes pleurs.

CHIMÈNE

Prenez bien plutôt part à la commune joie,
Et goûtez le bonheur que le Ciel vous envoie
Madame, autre que moi[3] n'a droit de soupirer,
Le péril dont Rodrigue a su vous retirer,
Et le salut public que vous rendent ses armes
À moi seule aujourd'hui permet encor les larmes ;

1. *Crêpes :* tissus de couleur noire, signes de deuil. \ 2. *Pompe :* habits de deuil. \ 3. *Autre que moi :* personne d'autre que moi.

Il a sauvé la ville, il a servi son Roi,
Et son bras valeureux n'est funeste qu'à moi.

L'Infante

Ma Chimène, il est vrai qu'il a fait des merveilles.

Chimène

Déjà ce bruit fâcheux a frappé mes oreilles,
1165 Et je l'entends partout publier[1] hautement
Aussi brave guerrier que malheureux amant[2].

L'Infante

Qu'a de fâcheux pour toi ce discours populaire[3] ?
Ce jeune Mars[4] qu'il loue a su jadis te plaire,
Il possédait ton âme, il vivait sous tes lois,
1170 Et vanter sa valeur c'est honorer ton choix.

Chimène

J'accorde que chacun la vante avec justice,
Mais pour moi sa louange est un nouveau supplice,
On aigrit[5] ma douleur en l'élevant si haut,
Je vois ce que je perds, quand je vois ce qu'il vaut.
1175 Ah cruels déplaisirs à l'esprit d'une amante[6] !
Plus j'apprends son mérite et plus mon feu[7] s'augmente,
Cependant mon devoir est toujours le plus fort
Et malgré mon amour va poursuivre[8] sa mort.

L'Infante

Hier ce devoir te mit en une haute estime,
1180 L'effort que tu te fis parut si magnanime,

---

1. *Publier :* proclamer, rendre public. \ **2.** *Amant :* au XVIIe siècle, le terme signifie « amoureux », « soupirant ». \ **3.** *Populaire :* qui vient du peuple. \ **4.** *Mars :* dieu de la guerre. \ **5.** *Aigrit :* aiguise. \ **6.** *Amante :* amoureuse, soupirante. \ **7.** *Feu :* amour (métaphore galante). \ **8.** *Poursuivre :* chercher à obtenir dans une action en justice (sens judiciaire).

Si digne d'un grand cœur, que chacun à la Cour
Admirait ton courage et plaignait ton amour.
Mais croirais-tu l'avis[1] d'une amitié fidèle ?

CHIMÈNE

Ne vous obéir pas me rendrait criminelle.

L'INFANTE

185 Ce qui fut bon alors ne l'est plus aujourd'hui.
Rodrigue maintenant est notre unique appui,
L'espérance et l'amour d'un peuple qui l'adore,
Le soutien de Castille et la terreur du More,
Ses faits[2] nous ont rendu ce qu'ils nous ont ôté,
190 Et ton père en lui seul se voit ressuscité,
Et si tu veux enfin qu'en deux mots je m'explique,
Tu poursuis en sa mort la ruine publique,
Quoi ? pour venger un père est-il jamais permis
De livrer sa patrie aux mains des ennemis ?
195 Contre nous ta poursuite[3] est-elle légitime ?
Et pour être punis avons-nous part au crime ?
Ce n'est pas qu'après tout tu doives épouser
Celui qu'un père mort t'obligeait d'accuser,
Je te voudrais moi-même en arracher l'envie ;
200 Ôte-lui ton amour, mais laisse-nous sa vie.

CHIMÈNE

Ah ! Madame, souffrez qu'avecque liberté
Je pousse jusqu'au bout ma générosité[4].
Quoique mon cœur pour lui contre moi s'intéresse[5],
Quoiqu'un peuple l'adore, et qu'un Roi le caresse[6],

1. *Avis :* conseil. \ **2.** *Faits :* faits d'arme, exploits. \ **3.** *Contre nous ta poursuite :* les poursuites que tu exerces contre nous. \ **4.** *Je pousse jusqu'au bout ma générosité :* j'honore les devoirs liés à ma naissance. \ **5.** *S'intéresse :* prend parti. \ **6.** *Caresse :* montre sa gratitude.

1205 Qu'il soit environné des plus vaillants guerriers,
J'irai sous mes Cyprès[1] accabler ses lauriers.

L'Infante

C'est générosité, quand pour venger un père
Notre devoir attaque une tête si chère :
Mais c'en est une encor d'un plus illustre rang,
1210 Quand on donne au public[2] les intérêts du sang.
Non, crois-moi, c'est assez que d'éteindre ta flamme[3],
Il sera trop puni s'il n'est plus dans ton âme ;
Que le bien du pays t'impose cette loi ;
Aussi bien, que crois-tu que t'accorde le Roi ?

Chimène

1215 Il peut me refuser, mais je ne me puis taire.

L'Infante

Pense bien, ma Chimène, à ce que tu veux faire.
Adieu, tu pourras seule y songer à loisir.

Chimène

Après mon père mort je n'ai point à choisir.

L'infante propose dé aulieu de tuer Rodrigue
~~elle~~ Chimène devrait renoncer à l'amour
de Rodrigue car ~~elle~~ l'infante est amoureuse.
Si Rodrigue meurt, l'espagne perd un protecteur.

1. *Cyprès :* arbres signes de deuil. \ 2. *Donne au public :* sacrifie au bien public. \ 3. *Flamme :* amour, sentiment amoureux.

Scène 3

LE ROI, DON DIÈGUE, DON ARIAS,
DON RODRIGUE, DON SANCHE

LE ROI

Généreux héritier d'une illustre famille
Qui fut toujours la gloire et l'appui de Castille,
Race de tant d'aïeux en valeur signalés
Que l'essai de la tienne a si tôt égalés,
Pour te récompenser ma force est trop petite,
Et j'ai moins de pouvoir que tu n'as de mérite.
Le pays délivré d'un si rude ennemi,
Mon sceptre dans ma main par la tienne affermi,
Et les Mores défaits[1] avant qu'en ces alarmes
J'eusse pu donner ordre à repousser leurs armes,
Ne sont point des exploits qui laissent à ton Roi
Le moyen ni l'espoir de s'acquitter vers toi.
Mais deux Rois, tes captifs, feront ta récompense,
Ils t'ont nommé tous deux leur Cid en ma présence,
Puisque Cid en leur langue est autant que Seigneur,
Je ne t'envierai pas ce beau titre d'honneur.
Sois désormais le Cid, qu'à ce grand nom tout cède,
Qu'il devienne l'effroi de Grenade et Tolède[2],
Et qu'il marque à tous ceux qui vivent sous mes lois
Et ce que tu me vaux et ce que je te dois.

DON RODRIGUE

Que Votre Majesté, Sire, épargne ma honte,
D'un si faible service elle fait trop de compte,
Et me force à rougir devant un si grand Roi

1. *Défaits :* battus. \ 2. *Grenade et Tolède :* villes tenues par les Mores.

De mériter si peu l'honneur que j'en reçois.
Je sais trop que je dois au bien de votre Empire
Et le sang qui m'anime et l'air que je respire,
1245 Et quand je les perdrai pour un si digne objet,
Je ferai seulement le devoir d'un sujet.

Le Roi

Tous ceux que ce devoir à mon service engage
Ne s'en acquittent pas avec même courage,
Et lorsque la valeur ne va point dans l'excès,
1250 Elle ne produit point de si rares succès.
Souffre donc qu'on te loue, et de cette victoire
Apprends-moi plus au long la véritable histoire.

Don Rodrigue

Sire, vous avez su qu'en ce danger pressant
Qui jeta dans la ville un effroi si puissant,
1255 Une troupe d'amis chez mon père assemblée
Sollicita mon âme encor toute troublée.
Mais, Sire, pardonnez à ma témérité,
Si j'osai l'employer sans votre autorité ;
Le péril approchait, leur brigade était prête,
1260 Et paraître à la Cour eût hasardé ma tête,
Qu'à défendre l'État j'aimais bien mieux donner,
Qu'aux plaintes de Chimène ainsi l'abandonner.

Le Roi

J'excuse ta chaleur à venger ton offense,
Et l'État défendu me parle en ta défense[1] :
1265 Crois que dorénavant Chimène a beau parler,
Je ne l'écoute plus que pour la consoler.
Mais poursuis.

1. *Défense* : faveur.

DON RODRIGUE

Sous moi[1] donc cette troupe s'avance,
Et porte sur le front une mâle assurance :
Nous partîmes cinq cents, mais par un prompt renfort,
Nous nous vîmes trois mille en arrivant au port,
Tant à nous voir marcher en si bon équipage[2]
Les plus épouvantés reprenaient de courage.
J'en cache les deux tiers, aussitôt qu'arrivés,
Dans le fond des vaisseaux qui lors[3] furent trouvés :
Le reste, dont le nombre augmentait à toute heure,
Brûlant d'impatience autour de moi demeure,
Se couche contre terre, et sans faire aucun bruit,
Passe une bonne part d'une si belle nuit.
Par mon commandement la garde en fait de même,
Et se tenant cachée aide à mon stratagème,
Et je feins hardiment d'avoir reçu de vous
L'ordre qu'on me voit suivre, et que je donne à tous.
Cette obscure clarté qui tombe des étoiles
Enfin avec le flux nous fit voir trente voiles ;
L'onde s'enflait dessous, et d'un commun effort
Les Mores, et la mer entrèrent dans le port.
On les laisse passer, tout leur paraît tranquille,
Point de soldats au port, point aux murs de la ville,
Notre profond silence abusant leurs esprits
Ils n'osent plus douter de nous avoir surpris,
Ils abordent sans peur, ils ancrent[4], ils descendent
Et courent se livrer aux mains qui les attendent :
Nous nous levons alors et tous en même temps
Poussons jusques au Ciel mille cris éclatants,
Les nôtres au signal de nos vaisseaux répondent,

1. *Sous moi :* sous mes ordres. \ **2.** *En si bon équipage :* dans une situation aussi favorable. \ **3.** *Lors :* alors. \ **4.** *Ancrent :* jettent l'ancre.

Ils paraissent armés, les Mores se confondent[1],
L'épouvante les prend à demi descendus,
Avant que de combattre ils s'estiment perdus,
Ils couraient au pillage, et rencontrent la guerre,
1300 Nous les pressons sur l'eau, nous les pressons sur terre
Et nous faisons courir[2] des ruisseaux de leur sang
Avant qu'aucun résiste, ou reprenne son rang.
Mais bientôt malgré nous leurs Princes les rallient[3],
Leur courage renaît, et leurs terreurs s'oublient,
1305 La honte de mourir sans avoir combattu
Rétablit leur désordre, et leur rend leur vertu[4] :
Contre nous de pied ferme ils tirent les épées,
Des plus braves soldats les trames sont coupées[5],
Et la terre, et le fleuve, et leur flotte, et le port
1310 Sont des champs de carnage où triomphe la mort.
Ô combien d'actions, combien d'exploits célèbres
Furent ensevelis dans l'horreur des ténèbres,
Où chacun seul témoin des grands coups qu'il donnait,
Ne pouvait discerner où le sort inclinait !
1315 J'allais de tous côtés encourager les nôtres,
Faire avancer les uns, et soutenir les autres,
Ranger ceux qui venaient, les pousser à leur tour,
Et n'en pus rien savoir jusques au point du jour.
Mais enfin sa clarté montra notre avantage[6],
1320 Le More vit sa perte et perdit le courage,
Et voyant un renfort qui nous vint secourir
Changea l'ardeur de vaincre à la peur de mourir.
Ils gagnent leurs vaisseaux, ils en coupent les chables[7],
Nous laissent pour Adieux des cris épouvantables,

1. *Se confondent :* se dispersent. \ **2.** *Courir :* couler. \ **3.** *Les rallient :* les rassemblent. \ **4.** *Vertu :* courage. \ **5.** *Les trames sont coupées :* le fil de leur vie est tranché. \ **6.** *Montra notre avantage :* montra que nous avions le dessus. \ **7.** *Chables :* cordes d'amarrage.

Font retraite en tumulte, et sans considérer
Si leurs Rois avec eux ont pu se retirer.
Ainsi leur devoir cède à la frayeur plus forte,
Le flux les apporta, le reflux les remporte,
Cependant que leurs Rois engagés[1] parmi nous,
Et quelque peu des leurs tous percés de nos coups,
Disputent vaillamment et vendent bien leur vie.
À se rendre moi-même en vain je les convie,
Le cimeterre[2] au poing ils ne m'écoutent pas ;
Mais voyant à leurs pieds tomber tous leurs soldats,
Et que seuls désormais en vain ils se défendent,
Ils demandent le Chef, je me nomme, ils se rendent,
Je vous les envoyai tous deux en même temps,
Et le combat cessa faute de combattants.
C'est de cette façon que pour votre service…

Don Rodrigue raconte toute la guerre en détails.

Scène 4

LE ROI, DON DIÈGUE, DON RODRIGUE,
DON ARIAS, DON ALONSE, DON SANCHE

DON ALONSE

Sire, Chimène vient vous demander Justice.

LE ROI

La fâcheuse nouvelle, et l'importun devoir !
Va, je ne la veux pas obliger à te voir,
Pour tous remerciements il faut que je te chasse :
Mais avant que sortir, viens que ton Roi t'embrasse.

Don Rodrigue rentre.

1. *Engagés :* combattant. \ **2.** *Cimeterre :* sabre recourbé.

DON DIÈGUE

1345 Chimène le poursuit, et voudrait le sauver.

LE ROI[1]

On m'a dit qu'elle l'aime, et je vais l'éprouver[2],
Contrefaites le triste[3].

Scène 5

LE ROI, DON DIÈGUE, DON ARIAS,
DON SANCHE, DON ALONSE, CHIMÈNE, ELVIRE

LE ROI

Enfin soyez contente,
Chimène, le succès répond à votre attente :
Si de nos ennemis Rodrigue a le dessus,
1350 Il est mort à nos yeux des coups qu'il a reçus,
Rendez grâces au Ciel qui vous en a vengée.
Voyez comme déjà sa couleur[4] est changée.

DON DIÈGUE

Mais voyez qu'elle pâme[5], et d'un amour parfait
Dans cette pâmoison, Sire, admirez l'effet,
1355 Sa douleur a trahi les secrets de son âme
Et ne vous permet plus de douter de sa flamme[6].

1. À partir de 1660, ces derniers vers sont remplacés par ceux reproduits p. 121. Dans ses *Observations sur « Le Cid »*, Scudéry reprochait à Corneille d'avoir « coiff [é] [don Fernand] d'une marotte » car le roi tendait à Chimène un piège propre à la scène comique. \ **2.** *L'éprouver :* la mettre à l'épreuve. \ **3.** *Contrefaites le triste :* faites mine d'être triste. \ **4.** *Sa couleur :* la couleur de son visage. \ **5.** *Pâme :* s'évanouit. \ **6.** *Flamme :* amour, sentiment amoureux.

CHIMÈNE

Quoi ? Rodrigue est donc mort ?

LE ROI

Non, non, il voit le jour[1],
Et te conserve encore un immuable amour,
Tu le posséderas, reprends[2] ton allégresse.

CHIMÈNE

Sire, on pâme[3] de joie ainsi que de tristesse,
Un excès de plaisir nous rend tous languissants[4],
Et quand il surprend l'âme, il accable les sens.

LE ROI

Tu veux qu'en ta faveur nous croyions l'impossible,
Ta tristesse, Chimène, a paru trop visible.

CHIMÈNE

Eh bien, Sire, ajoutez ce comble à mes malheurs,
Nommez ma pâmoison[5] l'effet de mes douleurs,
Un juste déplaisir à ce point m'a réduite,
Son trépas dérobait sa tête à ma poursuite[6] ;
S'il meurt des coups reçus pour le bien du pays,
Ma vengeance est perdue et mes desseins[7] trahis.
Une si belle fin m'est trop injurieuse,
Je demande sa mort, mais non pas glorieuse,
Non pas dans un éclat qui l'élève si haut,
Non pas au lit d'honneur, mais sur un échafaud.
Qu'il meure pour mon père, et non pour la patrie,
Que son nom soit taché, sa mémoire flétrie ;

---

1. *Il voit le jour :* il est vivant. **\2.** *Reprends :* retrouve. **\3.** *On pâme :* on s'évanouit. **\4.** *Languissants :* dénués de force. **\5.** *Pâmoison :* évanouissement. **\6.** *Poursuite :* les poursuites que j'exerce pour obtenir justice. **\7.** *Desseins :* projets.

Mourir pour le pays n'est pas un triste sort,
C'est s'immortaliser par une belle mort.
J'aime donc sa victoire, et je le puis sans crime,
1380 Elle assure l'État, et me rend ma victime,
Mais noble, mais fameuse entre tous les guerriers,
Le chef[1] au lieu de fleurs couronné de lauriers,
Et pour dire en un mot ce que j'en considère,
Digne d'être immolée[2] aux Mânes[3] de mon père :
1385 Hélas ! à quel espoir me laissé-je emporter !
Rodrigue de ma part n'a rien à redouter :
Que pourraient contre lui des larmes qu'on méprise ?
Pour lui tout votre Empire est un lieu de franchise[4],
Là sous votre pouvoir tout lui devient permis,
1390 Il triomphe de moi, comme des ennemis,
Dans leur sang épandu[5] la justice étouffée,
Aux crimes du vainqueur sert d'un nouveau trophée,
Nous en croissons la pompe[6] et le mépris des lois
Nous fait suivre son char[7] au milieu de deux Rois.

LE ROI

1395 Ma fille, ces transports ont trop de violence.
Quand on rend la justice, on met tout en balance[8] :
On a tué ton père, il était l'agresseur,
Et la même équité[9] m'ordonne la douceur.
Avant que d'accuser ce que j'en fais paraître,
1400 Consulte bien ton cœur, Rodrigue en est le maître,
Et ta flamme[10] en secret rend grâces à ton Roi
Dont la faveur conserve un tel amant[11] pour toi.

---

1. *Chef :* tête. \ **2.** *Immolée :* offerte en sacrifice. \ **3.** *Mânes :* âmes des morts. \ **4.** *Franchise :* liberté, sûreté. \ **5.** *Épandu :* répandu. \ **6.** *Pompe :* éclat, triomphe. \ **7.** *Char :* dans la tradition romaine, un char transporte les vainqueurs. \ **8.** *On met tout en balance :* on pèse tous les arguments. \ **9.** *La même équité :* la justice elle-même. \ **10.** *Flamme :* amour, sentiment amoureux. \ **11.** *Amant :* au XVIIe siècle, le terme signifie « amoureux », « soupirant ».

CHIMÈNE

Pour moi mon ennemi ! l'objet de ma colère !
L'auteur de mes malheurs ! l'assassin de mon père !
De ma juste poursuite[1] on fait si peu de cas
Qu'on me croit obliger en ne m'écoutant pas !
Puisque vous refusez la justice à mes larmes,
Sire, permettez-moi de recourir aux armes[2],
C'est par là seulement qu'il a su m'outrager,
Et c'est aussi par là que je me dois venger.
À tous vos Chevaliers je demande sa tête.
Oui, qu'un d'eux me l'apporte, et je suis sa conquête[3],
Qu'ils le combattent, Sire, et le combat fini,
J'épouse le vainqueur si Rodrigue est puni.
Sous votre autorité souffrez qu'on le publie[4].

LE ROI

Cette vieille coutume[5] en ces lieux établie,
Sous couleur[6] de punir un injuste attentat[7],
Des meilleurs combattants affaiblit un État.
Souvent de cet abus le succès déplorable
Opprime l'innocent et soutient[8] le coupable.
J'en dispense Rodrigue, il m'est trop précieux
Pour l'exposer aux coups d'un sort capricieux,
Et quoi qu'ait pu commettre un cœur si magnanime
Les Mores en fuyant ont emporté son crime.

1. *Poursuite :* les poursuites que j'exerce pour demander justice. \ **2.** *Recourir aux armes :* pratique médiévale du duel judiciaire. Chimène va désigner un champion, qui défendra sa cause. \ **3.** *Conquête :* épouse. \ **4.** *Qu'on le publie :* qu'on le rende public. \ **5.** *Vieille coutume :* pratique du duel judiciaire. \ **6.** *Sous couleur :* sous prétexte. \ **7.** *Attentat :* crime. \ **8.** *Soutient :* apporte son soutien.

Don Diègue

1425 Quoi, Sire ! pour lui seul vous renversez des lois
Qu'a vu toute la Cour observer tant de fois[1] !
Que croira votre peuple et que dira l'envie[2]
Si sous votre défense[3] il ménage[4] sa vie,
Et s'en sert d'un prétexte à ne paraître pas
1430 Où tous les gens d'honneur cherchent un beau trépas ?
Sire, ôtez ces faveurs qui terniraient sa gloire,
Qu'il goûte sans rougir les fruits de sa victoire,
Le Comte eut de l'audace, il l'en a su punir,
Il l'a fait en brave homme[5], et le doit soutenir.

Le Roi

1435 Puisque vous le voulez j'accorde qu'il le fasse,
Mais d'un guerrier vaincu mille prendraient la place,
Et le prix que Chimène au vainqueur a promis
De tous mes Chevaliers ferait ses ennemis :
L'opposer seul à tous serait trop d'injustice,
1440 Il suffit qu'une fois il entre dans la lice[6] :
Choisis qui tu voudras, Chimène, et choisis bien,
Mais après ce combat ne demande plus rien.

Don Diègue

N'excusez point par là ceux que son bras étonne[7],
Laissez un camp[8] ouvert où n'entrera personne.
1445 Après ce que Rodrigue a fait voir aujourd'hui,
Quel courage assez vain[9] s'oserait prendre à lui[10] ?

1. *Qu'a vu toute la Cour observer tant de fois :* que toute la Cour a si souvent vu respectées. \ **2.** *Envie :* les jaloux. \ **3.** *Sous votre défense :* sous votre protection. \ **4.** *Ménage :* épargne. \ **5.** *Brave homme :* homme courageux. \ **6.** *Lice :* enceinte où se déroulent les tournois. \ **7.** *Étonne :* fait trembler. \ **8.** *Camp :* lieu du combat. \ **9.** *Vain :* prétentieux. \ **10.** *S'oserait prendre à lui :* oserait s'en prendre à lui.

Qui se hasarderait contre un tel adversaire ?
Qui serait ce vaillant, ou bien ce téméraire ?

DON SANCHE

Faites ouvrir le camp, vous voyez l'assaillant,
Je suis ce téméraire, ou plutôt ce vaillant.
Accordez cette grâce à l'ardeur qui me presse,
Madame, vous savez quelle est votre promesse.

veut se battre contre Rodrigue car il aime Chimène

LE ROI

Chimène, remets-tu ta querelle en sa main ?

CHIMÈNE

Sire, je l'ai promis.

LE ROI

Soyez prêt à demain.

DON DIÈGUE

Non, Sire, il ne faut pas différer davantage.
On est toujours trop prêt quand on a du courage.

LE ROI

Sortir d'une bataille et combattre à l'instant !

DON DIÈGUE

Rodrigue a pris haleine en vous la racontant.

LE ROI

Du moins, une heure, ou deux, je veux qu'il se délasse.
Mais de peur qu'en exemple un tel combat ne passe,
Pour témoigner à tous qu'à regret je permets
Un sanglant procédé qui ne me plut jamais,
De moi, ni de ma Cour il n'aura la présence.

Il parle à Don Arias.

Vous seul des combattants jugerez la vaillance :
1465 Ayez soin que tous deux fassent en gens de cœur,
Et le combat fini m'amenez le vainqueur.
Quel qu'il soit, même prix est acquis à sa peine[1],
Je le veux de ma main présenter à Chimène,
Et que pour récompense il reçoive sa foi[2].

CHIMÈNE

1470 Sire, c'est me donner une trop dure loi.

LE ROI

Tu t'en plains, mais ton feu[3] loin d'avouer ta plainte[4],
Si Rodrigue est vainqueur, l'accepte sans contrainte.
Cesse de murmurer contre un arrêt[5] si doux :
Qui que ce soit des deux, j'en ferai ton époux.

FIN DU QUATRIÈME ACTE

Le vainceur doit marier Chimène

donc Chimène va marier Don Sanche
ou Rodrigue (le vainceur)

1. *Peine :* effort. \ 2. *Foi :* promesse de mariage. \ 3. *Feu :* amour. \ 4. *Avouer ta plainte :* approuver ta plainte. \ 5. *Arrêt :* décision.

Acte V

Scène première

DON RODRIGUE, CHIMÈNE

CHIMÈNE

Quoi, Rodrigue, en plein jour ! d'où te vient cette audace ?
Va, tu me perds d'honneur[1], retire-toi, de grâce.

DON RODRIGUE

Je vais mourir, Madame, et vous viens en ce lieu,
Avant le coup mortel, dire un dernier Adieu,
Mon amour vous le doit, et mon cœur qui soupire
N'ose sans votre aveu sortir de votre Empire.

CHIMÈNE

Tu vas mourir !

DON RODRIGUE

J'y cours, et le Comte est vengé,
Aussitôt que de vous j'en aurai le congé.

CHIMÈNE

Tu vas mourir ! Don Sanche est-il si redoutable,
Qu'il donne l'épouvante à ce cœur indomptable ?

1. *Tu me perds d'honneur :* tu compromets mon honneur.

1485 Qui t'a rendu si faible, ou qui le rend si fort ?
Rodrigue va combattre, et se croit déjà mort !
Celui qui n'a pas craint les Mores, ni mon père,
Va combattre Don Sanche et déjà désespère !
Ainsi donc au besoin[1] ton courage s'abat ?

Don Rodrigue

1490 Je cours à mon supplice, et non pas au combat,
Et ma fidèle ardeur sait bien m'ôter l'envie,
Quand vous cherchez ma mort, de défendre ma vie.
J'ai toujours même cœur, mais je n'ai point de bras
Quand il faut conserver ce qui ne vous plaît pas,
1495 Et déjà cette nuit m'aurait été mortelle
Si j'eusse combattu pour ma seule querelle :
Mais défendant mon Roi, son peuple, et le pays,
À me défendre mal je les aurais trahis,
Mon esprit généreux ne hait pas tant la vie
1500 Qu'il en veuille sortir par une perfidie.
Maintenant qu'il s'agit de mon seul intérêt,
Vous demandez ma mort, j'en accepte l'arrêt[2] ;
Votre ressentiment choisit la main d'un autre,
Je ne méritais pas de mourir de la vôtre ;
1505 On ne me verra point en repousser les coups,
Je dois plus de respect à qui combat pour vous,
Et ravi de penser que c'est de vous qu'ils viennent,
Puisque c'est votre honneur que ses armes soutiennent,
Je lui vais présenter mon estomac[3] ouvert,
1510 Adorant en sa main la vôtre qui me perd.

1. *Au besoin :* dans une situation difficile. \ **2.** *Arrêt :* au sens juridique, décret de mort. \ **3.** *Estomac :* poitrine.

CHIMÈNE

Si d'un triste devoir la juste violence,
Qui me fait malgré moi poursuivre ta vaillance,
Prescrit à ton amour une si forte loi
Qu'il te rend sans défense à qui combat pour moi,
En cet aveuglement ne perds pas la mémoire,
Qu'ainsi que de ta vie, il y va de ta gloire,
Et que dans quelque éclat que Rodrigue ait vécu
Quand on le saura mort, on le croira vaincu.
L'honneur te fut plus cher que je ne te suis chère,
Puisqu'il trempa tes mains dans le sang de mon père,
Et te fit renoncer malgré ta passion,
À l'espoir le plus doux de ma possession :
Je t'en vois cependant faire si peu de compte
Que sans rendre combat tu veux qu'on te surmonte.
Quelle inégalité ravale ta vertu[1]?
Pourquoi ne l'as-tu plus, ou pourquoi l'avais-tu ?
Quoi ? n'es-tu généreux que pour me faire outrage ?
S'il ne faut m'offenser n'as-tu point de courage ?
Et traites-tu mon père avec tant de rigueur
Qu'après l'avoir vaincu tu souffres un vainqueur ?
Non, sans vouloir mourir, laisse-moi te poursuivre[2],
Et défends ton honneur si tu ne veux plus vivre.

DON RODRIGUE

Après la mort du Comte, et les Mores défaits[3],
Mon honneur appuyé sur de si grands effets
Contre un autre ennemi n'a plus à se défendre :
On sait que mon courage ose tout entreprendre,
Que ma valeur peut tout, et que dessous les Cieux,

1. *Vertu :* courage. \ **2.** *Poursuivre :* exercer des poursuites contre toi. \ **3.** *Défaits :* battus, vaincus.

Quand mon honneur y va, rien ne m'est précieux.
Non, non, en ce combat, quoi que vous veuilliez croire,
1540 Rodrigue peut mourir sans hasarder[1] sa gloire,
Sans qu'on l'ose accuser d'avoir manqué de cœur[2],
Sans passer pour vaincu, sans souffrir[3] un vainqueur.
On dira seulement : « Il adorait Chimène,
Il n'a pas voulu vivre et mériter sa haine,
1545 Il a cédé lui-même à la rigueur du sort
Qui forçait sa maîtresse à poursuivre[4] sa mort,
Elle voulait sa tête, et son cœur magnanime
S'il l'en eût refusée eût pensé faire un crime :
Pour venger son honneur il perdit son amour,
1550 Pour venger sa maîtresse il a quitté le jour,
Préférant (quelque espoir qu'eût son âme asservie)
Son honneur à Chimène, et Chimène à sa vie. »
Ainsi donc vous verrez ma mort en ce combat
Loin d'obscurcir ma gloire en rehausser l'éclat,
1555 Et cet honneur suivra mon trépas volontaire,
Que tout autre que moi n'eût pu vous satisfaire.

Chimène

Puisque pour t'empêcher de courir au trépas
Ta vie et ton honneur sont de faibles appas,
Si jamais je t'aimai, cher Rodrigue, en revanche,
1560 Défends-toi maintenant pour m'ôter à Don Sanche,
Combats pour m'affranchir d'une condition
Qui me livre à l'objet de mon aversion.
Te dirai-je encor plus ? va, songe à ta défense[5],
Pour forcer mon devoir[6], pour m'imposer silence,

1. *Hasarder :* risquer. \ 2. *Cœur :* courage. \ 3. *Souffrir :* accepter. \ 4. *Poursuivre :* chercher à obtenir dans une action en justice. \ 5. *Songe à ta défense :* défends-toi. \ 6. *Pour forcer mon devoir :* pour faire plier mon devoir.

Et si jamais l'amour échauffa tes esprits,
Sors vainqueur d'un combat dont Chimène est le prix.
Adieu, ce mot lâché me fait rougir de honte.

DON RODRIGUE, *seul.*

Est-il quelque ennemi qu'à présent je ne dompte ?
Paraissez, Navarrais, Mores, et Castillans,
Et tout ce que l'Espagne a nourri de vaillants,
Unissez-vous ensemble, et faites une armée
Pour combattre une main de la sorte animée,
Joignez tous vos efforts contre un espoir si doux,
Pour en venir à bout, c'est trop peu que de vous.

Chimène demande à Rodrigue de gagner
↳ avoue qu'elle l'aime encore

Scène 2

L'INFANTE

T'écouterai-je encor, respect de ma naissance,
Qui fais un crime de mes feux ?
T'écouterai-je, Amour, dont la douce puissance
Contre ce fier tyran[1] fait rebeller mes vœux ?
Pauvre Princesse, auquel des deux
Dois-tu prêter obéissance ?
Rodrigue, ta valeur te rend digne de moi,
Mais pour être vaillant tu n'es pas fils de Roi.

Impitoyable sort, dont la rigueur sépare
Ma gloire d'avec mes désirs,
Est-il dit que le choix d'une vertu[2] si rare
Coûte à ma passion de si grands déplaisirs ?

1. *Tyran :* amour. \ **2.** *Vertu :* courage.

Ô Cieux ! à combien de soupirs
Faut-il que mon cœur se prépare,
S'il ne peut obtenir dessus [1] mon sentiment
1590 Ni d'éteindre l'amour, ni d'accepter l'amant [2] ?

Mais ma honte m'abuse, et ma raison s'étonne [3]
Du mépris d'un si digne choix :
Bien qu'aux Monarques seuls ma naissance me donne,
Rodrigue avec honneur je vivrai sous tes lois.
1595 Après avoir vaincu deux Rois
Pourrais-tu manquer de couronne ?
Et ce grand nom de Cid que tu viens de gagner
Marque-t-il pas déjà sur qui tu dois régner ?

Il est digne de moi, mais il est à Chimène,
1600 Le don que j'en ai fait me nuit,
Entre eux un père mort sème si peu de haine
Que le devoir du sang à regret le poursuit [4].
Ainsi n'espérons aucun fruit [5]
De son crime, ni de ma peine,
1605 Puisque pour me punir le destin a permis
Que l'amour dure même entre deux ennemis.

---

1. *Dessus :* en dominant. \ **2.** *Amant :* au XVIIe siècle, le terme signifie « amoureux », « soupirant ». \ **3.** *S'étonne :* s'effraie. \ **4.** *Poursuit :* exerce contre lui des poursuites. \ **5.** *Fruit :* bénéfice.

Scène 3

L'INFANTE, LÉONOR

L'INFANTE

Où viens-tu, Léonor ?

LÉONOR

Vous témoigner, Madame,
L'aise que je ressens du repos de votre âme.

L'INFANTE

D'où viendrait ce repos dans un comble d'ennui[1] ?

LÉONOR

Si l'amour vit d'espoir, et s'il meurt avec lui,
Rodrigue ne peut plus charmer votre courage,
Vous savez le combat où Chimène l'engage,
Puisqu'il faut qu'il y meure, ou qu'il soit son mari,
Votre espérance est morte, et votre esprit guéri.

L'INFANTE

Ô, qu'il s'en faut encor !

LÉONOR

Que pouvez-vous prétendre ?

L'INFANTE

Mais plutôt quel espoir me pourrais-tu défendre ?
Si Rodrigue combat sous ces conditions,
Pour en rompre l'effet j'ai trop d'inventions,
L'amour, ce doux auteur de mes cruels supplices,
Aux esprits des amants[2] apprend trop d'artifices.

---

1. *Ennui :* chagrin extrême, désagrément insupportable. **2.** *Amants :* au XVIIe siècle, le terme signifie « amoureux », « soupirants ».

LÉONOR

Pourrez-vous quelque chose après qu'un père mort
N'a pu dans leurs esprits allumer de discord[1] ?
Car Chimène aisément montre par sa conduite
Que la haine aujourd'hui ne fait pas[2] sa poursuite[3] :
1625 Elle obtient un combat, et pour son combattant,
C'est le premier offert qu'elle accepte à l'instant :
Elle ne choisit point de ces mains généreuses
Que tant d'exploits fameux rendent si glorieuses,
Don Sanche lui suffit, c'est la première fois
1630 Que ce jeune Seigneur endosse le harnois[4].
Elle aime en ce duel son peu d'expérience,
Comme il est sans renom, elle est sans défiance,
Un tel choix, et si prompt, vous doit bien faire voir
Qu'elle cherche un combat qui force son devoir,
1635 Et livrant à Rodrigue une victoire aisée,
Puisse l'autoriser à paraître apaisée.

L'INFANTE

Je le remarque assez, et toutefois mon cœur
À l'envi de[5] Chimène adore ce vainqueur.
À quoi me résoudrai-je, amante[6] infortunée ?

LÉONOR

1640 À vous ressouvenir de qui vous êtes née,
Le Ciel vous doit un Roi, vous aimez un sujet.

L'INFANTE

Mon inclination[7] a bien changé d'objet.
Je n'aime plus Rodrigue, un simple Gentilhomme,

1. *Discord :* désaccord. \ **2.** *Ne fait pas :* ne motive pas. \ **3.** *Poursuite :* les poursuites qu'elle exerce contre Rodrigue. \ **4.** *Harnois :* armure du chevalier. \ **5.** *À l'envi de :* comme. \ **6.** *Amante :* au XVIIe siècle, le terme signifie « amoureuse », « soupirante ». \ **7.** *Inclination :* amour.

Une ardeur bien plus digne à présent me consomme[1] ;
Si j'aime, c'est l'auteur de tant de beaux exploits,
C'est le valeureux Cid, le maître de deux Rois,
Je me vaincrai[2] pourtant, non de peur d'aucun blâme,
Mais pour ne troubler pas une si belle flamme[3],
Et quand pour m'obliger[4] on l'aurait couronné,
Je ne veux point reprendre un bien que j'ai donné.
Puisqu'en un tel combat sa victoire est certaine
Allons encore un coup le donner à Chimène,
Et toi qui vois les traits[5] dont mon cœur est percé,
Viens me voir achever comme j'ai commencé.

→ Aime Le Cid (Rodrigue) mais se raisonne et revient a son devoir de fille de roi

Scène 4

CHIMÈNE, ELVIRE

CHIMÈNE

Elvire, que je souffre, et que je suis à plaindre !
Je ne sais qu'espérer, et je vois tout à craindre,
Aucun vœu ne m'échappe où j'ose consentir,
Et mes plus doux souhaits sont pleins d'un repentir.
À deux rivaux pour moi je fais prendre les armes,
Le plus heureux succès me coûtera des larmes,
Et quoi qu'en ma faveur en ordonne le sort,
Mon père est sans vengeance, ou mon amant[6] est mort.

ELVIRE

D'un et d'autre côté je vous vois soulagée,
Ou vous avez Rodrigue, ou vous êtes vengée,

1. *Consomme :* consume. \ **2.** *Vaincrai :* dominerai. \ **3.** *Flamme :* amour, sentiment amoureux. \ **4.** *M'obliger :* me satisfaire. \ **5.** *Traits :* flèches. \ **6.** *Amant :* amoureux, soupirant.

1665 Et quoi que le destin puisse ordonner de vous,
Il soutient votre gloire et vous donne un époux.

Chimène

Quoi ? l'objet de ma haine, ou bien de ma colère !
L'assassin de Rodrigue, ou celui de mon père !
De tous les deux côtés on me donne un mari
1670 Encor tout teint du sang que j'ai le plus chéri.
De tous les deux côtés mon âme se rebelle,
Je crains plus que la mort la fin de ma querelle ;
Allez, vengeance, amour, qui troublez mes esprits,
Vous n'avez point pour moi de douceurs à ce prix.
1675 Et toi, puissant moteur du destin qui m'outrage[1],
Termine ce combat sans aucun avantage[2],
Sans faire aucun des deux, ni vaincu, ni vainqueur.

Elvire

Ce serait vous traiter avec trop de rigueur.
Ce combat pour votre âme est un nouveau supplice
1680 S'il vous laisse obligée à demander justice,
À témoigner toujours ce haut ressentiment,
Et poursuivre[3] toujours la mort de votre amant[4].
Non, non, il vaut bien mieux que sa rare vaillance,
Lui gagnant un laurier vous impose silence,
1685 Que la loi du combat étouffe vos soupirs,
Et que le Roi vous force à suivre vos désirs.

Chimène

Quand il sera vainqueur, crois-tu que je me rende ?
Mon devoir est trop fort, et ma perte trop grande,

---

1. *Puissant moteur du destin qui m'outrage :* Dieu. \ **2.** *Sans aucun avantage :* sans donner l'avantage à aucun des combattants. \ **3.** *Poursuivre :* chercher à obtenir dans une action en justice. \ **4.** *Amant :* au XVIIe siècle, le terme signifie « amoureux », « soupirant ».

Et ce n'est pas assez pour leur faire la loi
Que celle du combat et le vouloir du Roi.
Il peut vaincre Don Sanche avec fort peu de peine,
Mais non pas avec lui la gloire de Chimène,
Et quoi qu'à sa victoire un Monarque ait promis,
Mon honneur lui fera mille autres ennemis.

ELVIRE

Gardez, pour vous punir de cet orgueil étrange,
Que le Ciel à la fin ne souffre[1] qu'on vous venge.
Quoi ? vous voulez encor refuser le bonheur
De pouvoir maintenant vous taire avec honneur ?
Que prétend ce devoir ? et qu'est-ce qu'il espère ?
La mort de votre amant vous rendra-t-elle un père ?
Est-ce trop peu pour vous que d'un coup de malheur ?
Faut-il perte sur perte, et douleur sur douleur ?
Allez, dans le caprice[2] où votre humeur s'obstine,
Vous ne méritez pas l'amant[3] qu'on vous destine,
Et le Ciel, ennuyé de vous être si doux,
Vous lairra[4] par sa mort Don Sanche pour époux.

CHIMÈNE

Elvire, c'est assez des peines que j'endure,
Ne les redouble point par ce funeste augure[5],
Je veux, si je le puis, les éviter tous deux,
Sinon, en ce combat Rodrigue a tous mes vœux :
Non qu'une folle ardeur de son côté me penche,
Mais s'il était vaincu, je serais à Don Sanche,
Cette appréhension fait naître mon souhait.
Que vois-je, malheureuse ? Elvire, c'en est fait.

1. *Souffre :* tolère. **\2.** *Caprice :* folie. **\3.** *Amant :* au XVIIe siècle, le terme signifie « amoureux », « soupirant ». **\4.** *Lairra :* laissera. **\5.** *Augure :* pressentiment.

Scène 5[1]

Don Sanche, Chimène, Elvire

Don Sanche

1715 Madame, à vos genoux j'apporte cette épée.

Chimène

Quoi ? du sang de Rodrigue encor toute trempée ?
Perfide, oses-tu bien te montrer à mes yeux,
Après m'avoir ôté ce que j'aimais le mieux ?
Éclate mon amour, tu n'as plus rien à craindre,
1720 Mon père est satisfait, cesse de te contraindre,
Un même coup a mis ma gloire en sûreté,
Mon âme au désespoir, ma flamme[2] en liberté.

Don Sanche

D'un esprit plus rassis[3]...

Chimène

Tu me parles encore,
Exécrable assassin d'un Héros que j'adore ?
1725 Va, tu l'as pris en traître, un guerrier si vaillant
N'eût jamais succombé sous un tel assaillant.

---

1. À partir de l'édition de 1660, cette scène est remplacée par celle reproduite p. 121-122. Corneille, en 1660, réécrit le dénouement de la pièce. Il écourte considérablement la scène 5 de l'acte V afin de la rendre plus conforme aux bienséances. En effet, dans la version de 1637, Chimène laisse éclater son amour pour Rodrigue et évoque la possibilité d'un suicide pour aller rejoindre son amant dans la mort. Ces mots, jugés trop choquants et violents dans la bouche d'une jeune fille, ont été supprimés en 1660 par un Corneille soucieux, comme il l'écrit dans l'« Examen » de la pièce, de ne pas heurter la bienséance. Écourter cette scène, c'est aussi rendre le dénouement plus rapide et donc plus conforme aux exigences classiques. \ **2.** *Flamme :* amour, sentiment amoureux. \ **3.** *Rassis :* serein.

ELVIRE

Mais, Madame, écoutez.

CHIMÈNE

Que veux-tu que j'écoute ?
Après ce que je vois puis-je être encore en doute ?
J'obtiens pour mon malheur ce que j'ai demandé,
,o Et ma juste poursuite [1] a trop bien succédé [2].
Pardonne, cher amant [3], à sa rigueur sanglante,
Songe que je suis fille aussi bien comme amante [4],
Si j'ai vengé mon père aux dépens de ton sang,
Du mien pour te venger j'épuiserai mon flanc.
,5 Mon âme désormais n'a rien qui la retienne,
Elle ira recevoir ce pardon de la tienne.
Et toi qui me prétends acquérir par sa mort,
Ministre [5] déloyal de mon rigoureux sort,
N'espère rien de moi, tu ne m'as point servie,
.o En croyant me venger tu m'as ôté la vie.

DON SANCHE

Étrange impression qui, loin de m'écouter...

CHIMÈNE

Veux-tu que de sa mort je t'écoute vanter ?
Que j'entende à loisir avec quelle insolence
Tu peindras son malheur, mon crime, et ta vaillance,
,5 Qu'à tes yeux ce récit tranche mes tristes jours ?
Va, va, je mourrai bien sans ce cruel secours,
Abandonne mon âme au mal qui la possède,
Pour venger mon amant [6] je ne veux point qu'on m'aide.

---

1. *Poursuite :* les poursuites que j'ai exercées pour demander justice. \ **2.** *Succédé :* fonctionné. \ **3.** *Amant :* « amoureux », « soupirant ». Chimène s'adresse ici à Rodrigue. \ **4.** *Amante :* amoureuse. \ **5.** *Ministre :* serviteur. \ **6.** *Amant :* au XVIIe siècle, le terme signifie « amoureux », « soupirant ».

Scène 6

Le Roi, Don Diègue, Don Arias,
Don Sanche, Don Alonse, Chimène, Elvire

Chimène

Sire, il n'est plus besoin de vous dissimuler
1750 Ce que tous mes efforts ne vous ont pu celer[1].
J'aimais, vous l'avez su, mais pour venger un père
J'ai bien voulu proscrire[2] une tête si chère :
Votre Majesté, Sire, elle-même a pu voir
Comme j'ai fait céder mon amour au devoir.
1755 Enfin, Rodrigue est mort, et sa mort m'a changée
D'implacable ennemie en amante[3] affligée.
J'ai dû cette vengeance à qui m'a mise au jour,
Et je dois maintenant ces pleurs à mon amour.
Don Sanche m'a perdue en prenant ma défense,
1760 Et du bras qui me perd je suis la récompense.
Sire, si la pitié peut émouvoir un Roi,
De grâce révoquez une si dure loi ;
Pour prix d'une victoire où je perds ce que j'aime,
Je lui laisse mon bien, qu'il me laisse à moi-même ;
1765 Qu'en un Cloître sacré je pleure incessamment
Jusqu'au dernier soupir mon père et mon amant[4].

Don Diègue

Enfin, elle aime, Sire, et ne croit plus un crime
D'avouer par sa bouche une amour[5] légitime.

---

1. *Celer :* cacher. \ **2.** *Proscrire :* mettre à prix. \ **3.** *Amante :* amoureuse. \ **4.** *Amant :* au XVIIe siècle, le terme signifie « amoureux », « soupirant ». \ **5.** *Amour :* le mot peut être féminin au XVIIe siècle.

LE ROI

Chimène, sors d'erreur, ton amant n'est pas mort,
70 Et Don Sanche vaincu t'a fait un faux rapport…

DON SANCHE

Sire, un peu trop d'ardeur malgré moi l'a déçue [1].
Je venais du combat lui raconter l'issue.
Ce généreux guerrier dont son cœur est charmé :
« Ne crains rien (m'a-t-il dit quand il m'a désarmé),
75 Je laisserais plutôt la victoire incertaine
Que de répandre un sang hasardé pour Chimène,
Mais puisque mon devoir m'appelle auprès du Roi,
Va de notre combat l'entretenir pour moi,
Offrir à ses genoux ta vie et ton épée. »
80 Sire, j'y suis venu, cet objet l'a trompée,
Elle m'a cru vainqueur me voyant de retour,
Et soudain sa colère a trahi son amour,
Avec tant de transport, et tant d'impatience,
Que je n'ai pu gagner un moment d'audience.
85 Pour moi, bien que vaincu, je me répute [2] heureux,
Et malgré l'intérêt de mon cœur amoureux,
Perdant infiniment, j'aime encor ma défaite,
Qui fait le beau succès d'une amour [3] si parfaite.

LE ROI

Ma fille, il ne faut point rougir d'un si beau feu [4],
90 Ni chercher les moyens d'en faire un désaveu :
Une louable honte enfin t'en sollicite,
Ta gloire est dégagée, et ton devoir est quitte,
Ton père est satisfait, et c'était le venger

1. *Déçue :* trompée. \ **2.** *Répute :* considère. \ **3.** *Amour :* le mot peut être féminin au XVIIe siècle. \ **4.** *Feu :* amour.

Que mettre tant de fois ton Rodrigue en danger.
1795 Tu vois comme le Ciel autrement en dispose ;
Ayant tant fait pour lui, fais pour toi quelque chose,
Et ne sois point rebelle à mon commandement
Qui te donne un époux aimé si chèrement.

Scène 7

LE ROI, DON DIÈGUE, DON ARIAS,
DON RODRIGUE, DON ALONSE, DON SANCHE,
L'INFANTE, CHIMÈNE, LÉONOR, ELVIRE

L'INFANTE

Sèche tes pleurs, Chimène, et reçois sans tristesse
1800 Ce généreux vainqueur des mains de ta Princesse.

DON RODRIGUE

Ne vous offensez point, Sire, si devant vous
Un respect amoureux me jette à ses genoux.
Je ne viens point ici demander ma conquête ;
Je viens tout de nouveau vous apporter ma tête ;
1805 Madame, mon amour n'emploiera point pour moi
Ni la loi du combat, ni le vouloir du Roi.
Si tout ce qui s'est fait est trop peu pour un père,
Dites par quels moyens il vous faut satisfaire.
Faut-il combattre encor mille et mille rivaux,
1810 Aux deux bouts de la terre étendre mes travaux,
Forcer moi seul un camp, mettre en fuite une armée,
Des Héros fabuleux passer[1] la renommée ?

1. *Passer* : surpasser.

Si mon crime par là se peut enfin laver,
J'ose tout entreprendre, et puis tout achever.
1815 Mais si ce fier honneur toujours inexorable
Ne se peut apaiser sans la mort du coupable,
N'armez plus contre moi le pouvoir des humains,
Ma tête est à vos pieds, vengez-vous par vos mains ;
Vos mains seules ont droit de vaincre un invincible,
1820 Prenez une vengeance à tout autre impossible ;
Mais du moins que ma mort suffise à me punir,
Ne me bannissez point de votre souvenir,
Et puisque mon trépas conserve votre gloire,
Pour vous en revancher conservez ma mémoire,
1825 Et dites quelquefois, en songeant à mon sort,
« S'il ne m'avait aimée il ne serait pas mort ».

Chimène

Relève-toi[1], Rodrigue. Il faut l'avouer, Sire,
Mon amour a paru, je ne m'en puis dédire,
Rodrigue a des vertus que je ne puis haïr,
1830 Et vous êtes mon Roi, je vous dois obéir.
Mais à quoi que déjà vous m'ayez condamnée,
Sire, quelle apparence à ce triste Hyménée[2],
Qu'un même jour commence et finisse mon deuil,
Mette en mon lit[3] Rodrigue, et mon père au cercueil ?

---

1. À partir de 1660, ce passage est remplacé par celui reproduit p. 123. Corneille s'en explique dans l'« Examen » du *Cid* et dit ne pas avoir voulu choquer les esprits par un dénouement inconvenant. En effet, dans la version espagnole, le mariage entre Chimène et Rodrigue était conclu ; Corneille affirme que dans son dénouement de 1637, il a changé l'Histoire pour la rendre conforme aux mœurs de son temps. Ainsi, il fait planer un doute sur la possibilité même du mariage entre Rodrigue et Chimène (v. 1832-1834). En 1637, Chimène réclame donc un délai mais ne refuse pas le mariage lui-même. En 1660, Chimène rejette l'idée même du mariage (voir p. 123) et échappe dès lors au reproche d'impudicité formulé par les doctes. Cependant, le dénouement n'est pas fondamentalement modifié car la réponse du roi demeure la même : Chimène épousera Rodrigue après un délai (v. 1845-1846). \ **2.** *Hyménée :* mariage. \ **3.** Le mot de Chimène, très cru, a été jugé malséant par les doctes. Corneille le supprime donc en 1660.

1835 C'est trop d'intelligence[1] avec son homicide,
Vers[2] ses Mânes[3] sacrés c'est me rendre perfide,
Et souiller mon honneur d'un reproche éternel,
D'avoir trempé mes mains dans le sang paternel.

Le Roi

Le temps assez souvent a rendu légitime
1840 Ce qui semblait d'abord ne se pouvoir sans crime.
Rodrigue t'a gagnée, et tu dois être à lui,
Mais quoique sa valeur t'ait conquise aujourd'hui,
Il faudrait que je fusse ennemi de ta gloire
Pour lui donner sitôt le prix de sa victoire.
1845 Cet Hymen[4] différé ne rompt point une loi
Qui sans marquer de temps lui destine ta foi[5].
Prends un an si tu veux pour essuyer tes larmes.
Rodrigue cependant[6], il faut prendre les armes.
Après avoir vaincu les Mores sur nos bords[7],
1850 Renversé leurs desseins[8], repoussé leurs efforts[9],
Va jusqu'en leur pays leur reporter[10] la guerre,
Commander mon armée, et ravager leur terre.
À ce seul nom de Cid ils trembleront d'effroi,
Ils t'ont nommé Seigneur, et te voudront pour Roi,
1855 Mais parmi tes hauts faits sois-lui toujours fidèle,
Reviens-en, s'il se peut, encor plus digne d'elle,
Et par tes grands exploits fais-toi si bien priser[11]
Qu'il lui soit glorieux alors de t'épouser.

1. *Intelligence :* complicité. \ **2.** *Vers :* envers. \ **3.** *Mânes :* âmes des morts. \ **4.** *Hymen :* mariage. \ **5.** *Foi :* promesse, serment. \ **6.** *Cependant :* pendant ce temps. \ **7.** *Bords :* rives. \ **8.** *Après avoir (…) renversé leurs desseins :* après avoir réduit à néant leurs projets. \ **9.** *Efforts :* assauts. \ **10.** *Reporter :* porter à nouveau. \ **11.** *Priser :* estimer, reconnaître digne de prix.

DON RODRIGUE

Pour posséder Chimène, et pour votre service,
860 Que peut-on m'ordonner que mon bras n'accomplisse ?
Quoi qu'absent de ses yeux il me faille endurer,
Sire, ce m'est trop d'heur [1] de pouvoir espérer.

LE ROI

Espère en ton courage, espère en ma promesse,
Et possédant déjà le cœur de ta maîtresse,
865 Pour vaincre un point d'honneur qui combat contre toi
Laisse faire le temps, ta vaillance, et ton Roi.

FIN DU CINQUIÈME ET DERNIER ACTE

1. *Heur :* bonheur.

VARIANTES
ET
TEXTES LIMINAIRES

Variantes

Les variantes proposées ci-dessous sont celles qui figurent dans les éditions remaniées de 1660-1682.

Les numéros de vers mentionnés renvoient à ces éditions :
– *Le Théâtre de P. Corneille*, t. II, Augustin Courbé et Guillaume de Luyne, 1660 ;
– *Le Théâtre de P. Corneille*, t. II, Guillaume de Luyne, 1682.

Voici la liste des principales variantes :
– Acte I, scène 1 (v. 1-58) ;
– Acte II, scène 1 (fin, v. 389-396) ;
– Acte II, scène 6 (fin, v. 603-632) ;
– Acte II, scène 7 (début, v. 632-633) ;
– Acte IV, scène 4 (fin, v. 1336-1337) ;
– Acte V, scène 5 (v. 1705-1722) ;
– Acte V, scène 7 (v. 1801-1812).

Acte I, scène 1 (v. 1-58) : rendre l'exposition vraisemblable

Acte I, scène première

Chimène, Elvire

Chimène

Elvire, m'as-tu fait un rapport[1] bien sincère ?
Ne déguises-tu rien de ce qu'a dit mon père ?

Elvire

Tous mes sens à moi-même en sont encor charmés,
Il estime Rodrigue autant que vous l'aimez,
5 Et si je ne m'abuse à lire dans son âme,
Il vous commandera de répondre à sa flamme[2].

Chimène

Dis-moi donc, je te prie, une seconde fois
Ce qui te fait juger qu'il approuve mon choix,
Apprends-moi de nouveau quel espoir j'en dois prendre ;
10 Un si charmant discours ne se peut trop entendre ;
Tu ne peux trop promettre aux feux de notre amour
La douce liberté de se montrer au jour.
Que t'a-t-il répondu sur la secrète brigue[3]
Que font auprès de toi Don Sanche et Don Rodrigue ?
15 N'as-tu point trop fait voir quelle inégalité
Entre ces deux amants[4] me penche d'un côté ?

1. *Rapport :* récit. \ **2.** *Flamme :* amour. \ **3.** *La secrète brigue :* les vues secrètes. \ **4.** *Amants :* soupirants.

ELVIRE

Non; j'ai peint votre cœur dans une indifférence
Qui n'enfle[1] d'aucun d'eux ni détruit l'espérance,
Et sans les voir d'un œil trop sévère ou trop doux,
20 Attend l'ordre d'un père à choisir un époux.
Ce respect l'a ravi, sa bouche et son visage
M'en ont donné sur l'heure un digne témoignage,
Et puisqu'il vous en faut encor faire un récit,
Voici d'eux et de vous ce qu'en hâte il m'a dit :
25 « Elle est dans le devoir; tous deux sont dignes d'elle,
Tous deux formés d'un sang noble, vaillant, fidèle,
Jeunes, mais qui font lire aisément dans leurs yeux
L'éclatante vertu[2] de leurs braves aïeux.
Don Rodrigue surtout n'a trait en son visage
30 Qui d'un homme de cœur[3] ne soit la haute image,
Et sort d'une maison si féconde en guerriers,
Qu'ils y prennent naissance au milieu des lauriers.
La valeur de son père, en son temps sans pareille,
Tant qu'a duré sa force, a passé pour merveille;
35 Ses rides sur son front ont gravé ses exploits,
Et nous disent encor ce qu'il fut autrefois.
Je me promets du fils ce que j'ai vu du père,
Et ma fille, en un mot, peut l'aimer et me plaire. »
Il allait au Conseil, dont l'heure qui pressait
40 A tranché ce discours qu'à peine il commençait;
Mais à ce peu de mots je crois que sa pensée
Entre vos deux amants n'est pas fort balancée[4].
Le Roi doit à son fils élire un Gouverneur[5],
Et c'est lui que regarde un tel degré d'honneur :
45 Ce choix n'est pas douteux, et sa rare vaillance

1. *Enfle :* flatte. \ **2.** *Vertu :* valeur. \ **3.** *Homme de cœur :* homme courageux, vaillant. \ **4.** *Balancée :* hésitante. \ **5.** *Gouverneur :* précepteur qui doit instruire le jeune prince.

Don Sanche aime Chimène et Elvire va voit le père → Don Gomez de Chimène et il dit que Chimène peut marier Don Sanche ou Rodrigue

Ne peut souffrir qu'on craigne aucune concurrence.
Comme ses hauts exploits le rendent sans égal,
Dans un espoir si juste il sera sans rival ;
Et puisque Don Rodrigue a résolu son père
50 Au sortir du Conseil à proposer l'affaire,
Je vous laisse à juger s'il prendra bien son temps,
Et si tous vos désirs seront bientôt contents.

CHIMÈNE

Il semble toutefois que mon âme troublée
Refuse cette joie, et s'en trouve accablée :
55 Un moment donne au sort des visages divers,
Et dans ce grand bonheur je crains un grand revers.

ELVIRE

Vous verrez cette crainte heureusement déçue [1].

CHIMÈNE

Allons, quoi qu'il en soit, en attendre l'issue.

Acte II, scène 1 (fin, v. 389-396) : atténuer l'arrogance aristocratique

[…]

DON ARIAS

Adieu donc, puisqu'en vain je tâche à vous résoudre :
390 Avec tous vos lauriers, craignez encor le foudre [2].

---

1. *Déçue :* trompée, démentie. \ 2. *Le foudre :* le mot peut encore être masculin au XVIIe siècle.

LE COMTE

Je l'attendrai sans peur.

DON ARIAS

Mais non pas sans effet[1].

LE COMTE

Nous verrons donc par là Don Diègue satisfait.

Il est seul.

Qui ne craint point la mort ne craint point les menaces.
J'ai le cœur au-dessus des plus fières disgrâces;
95 Et l'on peut me réduire à vivre sans bonheur,
Mais non pas me résoudre à vivre sans honneur.

Acte II, scène 6 (fin, v. 603-632) : faire de don Fernand un chef militaire

[...]

DON FERNAND (LE ROI)

[...]
D'ailleurs l'affront me touche : il a perdu d'honneur
Celui que de mon fils j'ai fait le Gouverneur[2];
605 S'attaquer à mon choix, c'est se prendre à moi-même,
Et faire un attentat sur[3] le pouvoir suprême.
N'en parlons plus. Au reste, on a vu dix vaisseaux[4]
De nos vieux ennemis arborer les drapeaux;
Vers la bouche[5] du fleuve ils ont osé paraître.

1. *Effet :* conséquence. \ **2.** *Gouverneur :* précepteur qui doit instruire le jeune prince. \ **3.** *Faire un attentat sur :* commettre un crime contre. \ **4.** *Vaisseaux :* bateaux. \ **5.** *Bouche :* embouchure.

DON ARIAS

610 Les Mores ont appris par force à vous connaître,
Et tant de fois vaincus, ils ont perdu le cœur[1]
De se plus hasarder contre un si grand vainqueur.

DON FERNAND

Ils ne verront jamais sans quelque jalousie
Mon sceptre, en dépit d'eux, régir l'Andalousie[2] ;
615 Et ce pays si beau, qu'ils ont trop possédé,
Avec un œil d'envie est toujours regardé.
C'est l'unique raison qui m'a fait dans Séville[3]
Placer depuis dix ans le trône de Castille,
Pour les voir de plus près, et d'un ordre plus prompt
620 Renverser aussitôt ce qu'ils entreprendront.

DON ARIAS

Ils savent aux dépens de leurs plus dignes têtes
Combien votre présence assure vos conquêtes :
Vous n'avez rien à craindre.

DON FERNAND

Et rien à négliger :
Le trop de confiance attire le danger,
625 Et vous n'ignorez pas qu'avec fort peu de peine
Un flux de pleine mer jusqu'ici les amène.
Toutefois j'aurais tort de jeter dans les cœurs,
L'avis[4] étant mal sûr[5], de Paniques terreurs.
L'effroi que produirait cette alarme inutile,
630 Dans la nuit qui survient troublerait trop la ville :
Faites doubler la garde aux murs et sur le port.
C'est assez pour ce soir.

1. *Cœur :* courage. \ **2.** *Andalousie :* province espagnole. \ **3.** *Séville :* ville d'Andalousie. \ **4.** *Avis :* nouvelle. \ **5.** *Mal sûr :* incertain.

Acte II, scène 7 (début, v. 632-633) : restaurer l'autorité royale

DON ALONSE

Sire, le Comte est mort.

Don Diègue, par son fils, a vengé son offense.

[...]

Acte IV, scène 4 (fin, v. 1336-1337) : faire de don Fernand un roi sage

[...]

LE ROI

On m'a dit qu'elle l'aime, et je vais l'éprouver.

Montrez un œil plus triste.

Acte V, scène 5 (v. 1705-1722) : atténuer l'impudicité de Chimène

DON SANCHE

05 Obligé d'apporter à vos pieds cette épée...

CHIMÈNE

Quoi ? du sang de Rodrigue encor toute trempée ?
Perfide, oses-tu bien te montrer à mes yeux,
Après m'avoir ôté ce que j'aimais le mieux ?
Éclate, mon amour, tu n'as plus rien à craindre :

1710 Mon père est satisfait, cesse de te contraindre.
Un même coup a mis ma gloire en sûreté,
Mon âme au désespoir, ma flamme[1] en liberté.

DON SANCHE

D'un esprit plus rassis...[2]

CHIMÈNE

Tu me parles encore,
Exécrable assassin d'un Héros que j'adore ?
1715 Va, tu l'as pris en traître ; un guerrier si vaillant
N'eût jamais succombé sous un tel assaillant.
N'espère rien de moi, tu ne m'as point servie :
En croyant me venger, tu m'as ôté la vie.

DON SANCHE

Étrange impression, qui loin de m'écouter...

CHIMÈNE

1720 Veux-tu que de sa mort je t'écoute vanter,
Que j'entende à loisir avec quelle insolence
Tu peindras son malheur, mon crime et ta vaillance ?

---

1. *Flamme :* sentiment amoureux. \ **2.** *Rassis :* serein.

Acte V, Scène 7 (v. 1801-1812) : rendre le dénouement bienséant

[…]

CHIMÈNE

Relève-toi, Rodrigue. Il faut l'avouer, Sire,
Je vous en ai trop dit pour m'en pouvoir dédire.
Rodrigue a des vertus que je ne puis haïr ;
Et quand un roi commande, on lui doit obéir.
Mais à quoi que déjà vous m'ayez condamnée,
Pourrez-vous à vos yeux souffrir cet Hyménée[1] ?
Et quand de mon devoir vous voulez cet effort,
Toute votre justice en est-elle d'accord ?
Si Rodrigue à l'État devient si nécessaire,
De ce qu'il fait pour vous dois-je être le salaire[2],
Et me livrer moi-même au reproche éternel
D'avoir trempé mes mains dans le sang paternel ?
[…]

1. *Hyménée :* mariage. \ 2. *Salaire :* récompense.

Textes liminaires

Nous proposons deux textes liminaires ajoutés par Corneille entre 1648 et 1682 :
– Avertissement de Corneille (1648-1656) ;
– Examen du *Cid* (1660-1682).

Avertissement de Corneille (1648-1656)

« Avía pocos días antes hecho campo con D. Gómez, conde de Gormaz. Venciόle y diόle la muerte. Lo que resultó de este caso fué que casó con doña Ximena, hija y heredera del mismo conde. Ella misma requirió al Rey que se le diesse por marido, ca estaba muy prendada de sus partes, o le castigasse conforme a las leyes, por la muerte que dió a su padre. Hízose el casamiento, que a todos estaba a cuento, con el qual por el gran dote de su esposa, que se allegó al estado que el tenia de su padre, se aumentó en poder y riquezas[1] » (Mariana[2], *Lib.* IX de *Historia d'España*, v^e^).

---

1. « Il y avait eu auparavant un duel avec don Gomès, comte de Gormaz. Il le vainquit et lui donna la mort. Le résultat de cet événement fut qu'il se maria avec doña Chimène, fille et héritière de ce seigneur. Elle-même demanda au roi qu'il le lui donnât pour mari, car elle était fort éprise de ses qualités, ou qu'il le châtiât conformément aux lois, pour avoir donné la mort à son père. Le mariage, qui agréait à tous, s'accomplit ; ainsi grâce à la dot considérable de son épouse, qui s'ajouta aux biens qu'il tenait de son père, il grandit en pouvoir et en richesses » (trad. de Charles Marty-Laveaux, *Œuvres de P. Corneille*, Hachette, coll. « Les Grands Écrivains de la France », 1862-1868, t. III). \ **2.** *Mariana :* père jésuite, auteur d'une *Histoire de l'Espagne*, rédigée en latin et publiée en 1592. Une version espagnole parut en 1601.

10 Voilà ce qu'a prêté l'histoire à Don Guillén de Castro[1], qui a mis ce fameux événement sur le théâtre avant moi. Ceux qui entendent l'espagnol y remarqueront deux circonstances : l'une, que Chimène, ne pouvant s'empêcher de reconnaître et d'aimer les belles qualités qu'elle voyait en 15 Don Rodrigue, quoiqu'il eût tué son père (*estaba prendada de sus partes*[2]), alla proposer elle-même au Roi cette généreuse alternative, ou qu'il le lui donnât pour mari, ou qu'il le fît punir suivant les lois ; l'autre, que ce mariage se fit au gré de tout le monde (*a todos estaba a cuento*[3]). Deux chroniques du 20 *Cid* ajoutent qu'il fut célébré par l'archevêque de Séville, en présence du Roi et de toute sa cour ; mais je me suis contenté du texte de l'historien, parce que toutes les deux ont quelque chose qui sent le roman[4] et peuvent ne persuader pas davantage que celles que nos Français ont faites de Charle- 25 magne et de Roland[5]. Ce que j'ai rapporté de Mariana suffit pour faire voir l'état qu'on fit de Chimène et de son mariage dans son siècle même, où elle vécut en un tel éclat[6] que les rois d'Aragon et de Navarre[7] tinrent à honneur d'être ses gendres[8], en épousant ses deux filles[9]. Quelques-uns[10] ne 30 l'ont pas si bien traitée dans le nôtre : et sans parler de ce qu'on a dit de la Chimène du théâtre, celui qui a composé l'histoire d'Espagne en français[11] l'a notée[12] dans son livre de s'être tôt et aisément consolée de la mort de son père, et a

1. *Guillén de Castro :* auteur espagnol qui relate pour la première fois au théâtre les exploits du Cid. \ **2.** *Estaba (...) partes :* elle était enfermée dans un dilemme. \ **3.** *A todos (...) cuento :* cela convint à tout le monde. \ **4.** *Sent le roman :* déforme la vérité. \ **5.** Allusion à l'épopée *La Chanson de Roland*. \ **6.** *Éclat :* renommée. \ **7.** Aragon et Navarre sont des provinces espagnoles. \ **8.** *Tinrent à honneur d'être ses gendres :* considérèrent comme un honneur d'être ses gendres. \ **9.** Doña Elvire, fille aînée du Cid et doña Sol, la cadette. \ **10.** C'est Georges de Scudéry qui est ici visé : dans ses *Observations sur « Le Cid »*, l'auteur accusait Chimène d'être une fille « dénaturée » et « impudique ». Les *Sentiments de l'Académie française sur la tragi-comédie du « Cid »* donnent raison à Scudéry. \ **11.** Il s'agit de Loys de Mayerne Turquet. \ **12.** *L'a notée :* lui a reproché.

voulu taxer de légèreté une action qui fut imputée à grandeur de courage[1] par ceux qui en furent les témoins. Deux romances espagnols, que je vous donnerai en suite de cet *Avertissement*, parlent encore plus en sa faveur. Ces sortes de petits poèmes sont comme des originaux décousus de leurs anciennes histoires ; et je serais ingrat envers la mémoire de cette héroïne, si, après l'avoir fait connaître en France et m'y être fait connaître par elle, je ne tâchais de la tirer de la honte qu'on lui a voulu faire, parce qu'elle a passé par mes mains. Je vous donne donc ces pièces justificatives de la réputation où elle a vécu, sans dessein de justifier la façon dont je l'ai fait parler français. Le temps l'a fait pour moi, et les traductions qu'on en a faites en toutes les langues qui servent aujourd'hui à la scène, et chez tous les peuples où l'on voit des théâtres, je veux dire en italien, flamand et anglais, sont d'assez glorieuses apologies contre tout ce qu'on en a dit. Je n'y ajouterai pour toute chose qu'environ une douzaine de vers espagnols, qui semblent faits exprès pour la défendre. Ils sont du même auteur qui l'a traitée avant moi, Don Guillén de Castro, qui, dans une autre comédie qu'il intitule *Engañarse engañando*[2], fait dire à une princesse du Béarn :

A mirar
bien el mundo, que el tener
apetitos que vencer,
y ocasiones que dexar.

Examinan el valor
en la muger, yo dixera

1. *Qui fut imputée à grandeur de courage :* dont on attribua la raison à la grandeur de son courage. 2. La comédie *Engañarse engañando* (« Se tromper en trompant ») fut publiée à Valence en 1625.

lo que siento, porque fuera
luzimiento de mi honor.

Pero malicias fundadas
en honras mal entendidas
de tentaciones vencidas
hazen culpas declaradas :

Y así, la que el desear
con el resistir apunta,
vence dos vezes, si junta
con el resistir el callar[1].

55 C'est, si je ne me trompe, comme agit Chimène dans mon ouvrage, en présence du Roi et de l'Infante. Je dis en présence du Roi et de l'Infante, parce que, quand elle est seule, ou avec sa confidente, ou avec son amant, c'est une autre chose. Ses mœurs sont inégalement égales, pour parler en termes de 60 notre Aristote[2], et changent suivant les circonstances des lieux, des personnes, des temps et des occasions, en conservant toujours le même principe.

Au reste, je me sens obligé de désabuser le public de deux erreurs qui s'y sont glissées touchant cette tragédie, et qui 65 semblent avoir été autorisées par mon silence. La première est que j'aie convenu de juges touchant son mérite, et m'en sois

1. « Si le monde a raison de dire que ce qui éprouve le mérite d'une femme c'est d'avoir des désirs à vaincre, des occasions à rejeter, je n'aurais ici qu'à exprimer ce que je sens : mon honneur n'en deviendrait que plus éclatant. Mais une malignité qui se prévaut de notions d'honneur mal entendues convertit volontiers en un aveu de faute ce qui n'est que la tentation vaincue. Dès lors, la femme qui désire et qui résiste également vaincra deux fois, si en résistant elle sait encore se taire » (trad. de Charles Marty-Laveaux, *op. cit.*). \ **2.** Aristote, *Poétique*, XV, 5. Voir aussi Pierre Corneille, *Discours de l'utilité et des parties du poème dramatique* (1660), dans *Œuvres complètes*, Paris, Le Seuil, coll. « L'Intégrale », 1989.

rapporté au sentiment de ceux qu'on a priés d'en juger[1]. Je m'en tairais encore, si ce faux bruit n'avait été jusque chez M. de Balzac dans sa province, ou, pour me servir de ses paroles mêmes, dans son désert[2], et si je n'en avais vu depuis peu les marques dans cette admirable lettre qu'il a écrite sur ce sujet, et qui ne fait pas la moindre richesse des deux derniers trésors qu'il nous a donnés. Or comme tout ce qui part de sa plume regarde toute la postérité, maintenant que mon nom est assuré de passer jusqu'à elle dans cette lettre incomparable, il me serait honteux qu'il y passât avec cette tache, et qu'on pût à jamais me reprocher d'avoir compromis de ma réputation. C'est une chose qui jusqu'à présent est sans exemple ; et de tous ceux qui ont été attaqués comme moi, aucun que je sache n'a eu assez de faiblesse pour convenir d'arbitres avec ses censeurs ; et s'ils ont laissé tout le monde dans la liberté publique d'en juger, ainsi que j'ai fait, ç'a été sans s'obliger, non plus que moi, à en croire personne ; outre que dans la conjoncture où étaient lors les affaires du *Cid*, il ne fallait pas être grand devin pour prévoir ce que nous en avons vu arriver. À moins que d'être tout à fait stupide, on ne pouvait pas ignorer que comme les questions de cette nature ne concernent ni la religion ni l'État, on en peut décider par les règles de la prudence humaine, aussi bien que par celles du théâtre, et tourner sans scrupule le sens du bon Aristote du côté de la politique. Ce n'est pas que je sache si ceux qui ont jugé du *Cid* en ont jugé suivant leur sentiment ou non, ni même que je veuille dire qu'ils en aient bien ou mal jugé, mais seulement que ce n'a jamais été de mon consentement qu'ils en ont jugé, et que peut-être je l'aurais

1. Corneille rappelle qu'il n'a jamais souhaité que l'Académie se penche sur sa pièce.
2. Guez de Balzac s'est retiré en province : c'est de Charente qu'il signe une lettre en faveur du *Cid*, envoyée à Scudéry (*Lettre à Monsieur de Scudéry sur « Le Cid »*).

justifié sans beaucoup de peine, si la même raison qui les a fait parler ne m'avait obligé à me taire[1]. Aristote ne s'est pas expliqué si clairement dans sa *Poétique* que nous n'en puissions faire ainsi que les philosophes, qui le tirent chacun
100 à leur parti dans leurs opinions contraires ; et comme c'est un pays inconnu pour beaucoup de monde, les plus zélés partisans du *Cid* en ont cru ses censeurs sur leur parole et se sont imaginé avoir pleinement satisfait à toutes leurs objections, quand ils ont soutenu qu'il importait peu qu'il fût
105 selon les règles d'Aristote, et qu'Aristote en avait fait pour son siècle et pour des Grecs, et non pas pour le nôtre et pour des Français.

Cette seconde erreur, que mon silence a affermie, n'est pas moins injurieuse à Aristote qu'à moi. Ce grand homme a traité
110 la poétique avec tant d'adresse et de jugement que les préceptes qu'il nous en a laissés sont de tous les temps et de tous les peuples ; et bien loin de s'amuser au détail des bienséances et des agréments, qui peuvent être divers selon que ces deux circonstances sont diverses, il a été droit aux
115 mouvements de l'âme, dont la nature ne change point. Il a montré quelles passions la tragédie doit exciter dans celles de ses auditeurs[2] ; il a cherché quelles conditions sont nécessaires, et aux personnes qu'on introduit, et aux événements qu'on représente, pour les y faire naître ; il en a laissé des moyens qui
120 auraient produit leur effet partout dès la création du monde, et qui seront capables de le produire encore partout, tant qu'il y aura des théâtres et des acteurs ; et pour le reste, que les lieux et les temps peuvent changer, il l'a négligé, et n'a pas même

1. Richelieu n'a jamais souhaité que Corneille réponde à ses détracteurs. Le dramaturge, prudent, ne publie cet « Avertissement » qu'en 1648, c'est-à-dire après la mort de Richelieu.
2. Allusion à la *catharsis*, concept central de la *Poétique* d'Aristote. Selon lui, le spectacle tragique doit éveiller terreur et pitié chez le spectateur.

prescrit le nombre des actes, qui n'a été réglé que par Horace[1] beaucoup après lui[2].

Et certes, je serais le premier qui condamnerais *Le Cid*, s'il péchait contre ces grandes et souveraines maximes que nous tenons de ce philosophe ; mais bien loin d'en demeurer d'accord, j'ose dire que cet heureux poème n'a si extraordinairement réussi que parce qu'on y voit les deux maîtresses conditions (permettez-moi cette épithète) que demande ce grand maître aux excellentes tragédies, et qui se trouvent si rarement assemblées dans un même ouvrage qu'un des plus doctes commentateurs de ce divin traité[3] qu'il en a fait soutient que toute l'Antiquité ne les a vues se rencontrer que dans le seul *Œdipe*. La première est que celui qui souffre et est persécuté ne soit ni tout méchant ni tout vertueux, mais un homme plus vertueux que méchant qui, par quelque trait de faiblesse humaine qui ne soit pas un crime, tombe dans un malheur qu'il ne mérite pas ; l'autre, que la persécution et le péril ne viennent point d'un ennemi, ni d'un indifférent, mais d'une personne qui doive aimer celui qui souffre et en être aimée[4]. Et voilà, pour en parler sainement, la véritable et seule cause de tout le succès du *Cid*, en qui l'on ne peut méconnaître ces deux conditions, sans s'aveugler soi-même pour lui faire injustice. J'achève donc en m'acquittant de ma parole, et après vous avoir dit en passant ces deux mots pour le Cid du théâtre, je vous donne, en faveur de la Chimène de l'histoire, les deux romances que je vous ai promis.

J'oubliais à vous dire que quantité de mes amis ayant jugé à propos que je rendisse compte au public de ce que j'avais

1. Corneille fait allusion à l'*Art poétique* d'Horace. \ **2.** Corneille se sert d'Aristote pour justifier son refus des unités. \ **3.** Francesco Robortello publia une édition commentée de la *Poétique* d'Aristote (Florence, 1548). \ **4.** Voir Corneille, *Discours sur la tragédie* (1660), dans *Œuvres complètes*, Paris, Le Seuil, coll. « L'Intégrale », 1989.

emprunté de l'auteur espagnol dans cet ouvrage, et m'ayant témoigné le souhaiter, j'ai bien voulu leur donner cette satisfaction. Vous trouverez donc tout ce que j'en ai traduit
155 imprimé d'une autre lettre, avec un chiffre au commencement, qui servira de marque de renvoi pour trouver les vers espagnols au bas de la même page. Je garderai ce même ordre dans *La Mort de Pompée* pour les vers de Lucain, ce qui n'empêchera pas que je ne continue aussi ce même
160 changement de lettre toutes les fois que mes acteurs rapportent quelque chose qui s'est dit ailleurs que sur le théâtre, où vous n'imputerez rien qu'à moi si vous n'y voyez ce chiffre pour marque, et le texte d'un autre auteur au-dessous.

ROMANCE PRIMERO

Delante el rey de León
doña Ximena una tarde
se pone a pedir justicia
por la muerte de su padre.

Para contra el Cid la pide,
don Rodrigo de Bivare,
que huérfana la dexó,
niña, y de muy poca edade.

Si tengo razón, o non,
bien, rey, lo alcanzas y sabes,
que los negocios de honra
no pueden disimularse.

Cada día que amanece,
veo al lobo de mi sangre,

caballero en un caballo,
por darme mayor pesare.

Mándale, buen rey, pues puedes
que no me ronde mi calle :
que no se venga en mugeres
el hombre que mucho vale.

Si mi padre afrentó al suyo,
bien ha vengado a su padre,
que si honras pagaron muertes,
para su disculpa basten.

Encomendada me tienes,
no consientas que me agravien,
que el que á mi se fiziere
á tu corona se faze.

– Calledes, doña Ximena,
que me dades pena grande,
que yo daré buen remedio
para todos vuestros males.

Al Cid no le he de ofender,
que es hombre que mucho vale
y me defiende mis reynos,
y quiero que me los guarde.

Pero yo faré un partido
con él, que no os esté male
de tomalle la palabra
para que con vos se case.

Contenta quedó Ximena
con la merced que le faze
que quien huérfana la fizo
aquesse mismo la ampare[1].

ROMANCE SEGUNDO

A Ximena y a Rodrigo
prendió el rey palabra y mano
de juntarlos, para en uno
en presencia de Layn Calvo.

Las enemistades viejas
con amor se conformaron,
que donde preside amor
se olvidan muchos agravios…

1. Première romance : « Par-devant le roi de Léon, un soir se présente doña Chimène, demandant justice pour la mort de son père./Elle demande justice contre le Cid, don Rodrigue de Bivar, qui l'a rendue orpheline dès son enfance, quand elle comptait encore bien peu d'années./Si j'ai raison d'agir ainsi, ô roi, tu le comprends, tu le sais bien : les devoirs de l'honneur ne se laissent point méconnaître./Chaque jour que le matin ramène, je vois celui qui s'est repu comme le loup de mon sang, passer pour renouveler mes chagrins, chevauchant sur un destrier./Ordonne-lui, bon roi, car tu le peux, de ne plus aller et venir par la rue que j'habite : un homme de valeur n'exerce pas sa vengeance contre une femme./Si mon père fit affront au sien, il l'a bien vengé, et si la mort a payé le prix de l'honneur, que cela suffise à le tenir quitte./J'appartiens à ta tutelle, ne permets pas que l'on m'offense. L'offense qu'on peut me faire s'adresse à ta couronne./– Taisez-vous, doña Chimène; vous m'affligez vivement. Mais je saurai remédier à toutes vos peines./Je ne saurais faire du mal au Cid ; car c'est un homme de grande valeur, il est le défenseur de mes royaumes et je veux qu'il me les conserve./Mais je ferai avec lui un accommodement dont vous ne vous trouverez point mal : c'est de prendre sa parole pour qu'il se marie avec vous./Chimène demeure satisfaite, agréant cette merci du Roi, qui lui destine pour protecteur celui qui l'a faite orpheline » (trad. de Charles Marty-Laveaux, *op. cit.*).

Llegaron juntos los novios,
y al dar la mano, y abraço,
el Cid mirando a la novia,
le dixo todo turbado :

Maté a tu padre, Ximena,
pero no a desaguisado,
matéle de hombre a hombre,
para vengar cierto agravio.

Maté hombre, y hombre doy
aquí estoy a tu mandado,
y en lugar del muerto padre
cobraste un marido honrado.

A todos pareció bien,
su discretion alabaron,
y así se hizieron las bodas
de Rodrigo el Castellano [1].

1. Seconde romance : « De Rodrigue et de Chimène le roi prit la parole et la main, afin de les unir ensemble en présence de Layn Calvo./Les inimitiés anciennes furent réconciliées par l'amour; car où préside l'amour, bien des torts s'oublient./Les fiancés arrivèrent ensemble et au moment de donner la main et le baiser, le Cid, regardant la mariée, lui dit tout troublé :/J'ai tué ton père, Chimène, mais non en trahison, je l'ai tué d'homme à homme, pour venger une. réelle injure./J'ai tué un homme, et je te donne un homme : me voici pour faire droit à ton grief, et au lieu du père mort tu reçois un époux honoré./Cela parut bien à tous : ils louèrent son prudent propos, et ainsi se firent les noces de Rodrigue le Castillan » (trad. de Charles Marty-Laveaux, *op. cit.*).

Examen du Cid *(1660-1682)*

Ce poème a tant d'avantages du côté du sujet et des pensées brillantes dont il est semé que la plupart de ses auditeurs n'ont pas voulu voir les défauts de sa conduite et ont laissé enlever leurs suffrages au plaisir que leur a donné sa représentation[1]. 5 Bien que ce soit celui de tous mes ouvrages réguliers où je me suis permis le plus de licence[2], il passe encore pour le plus beau auprès de ceux qui ne s'attachent pas à la dernière sévérité des règles ; et depuis cinquante ans qu'il tient sa place sur nos théâtres, l'histoire ni l'effort de l'imagination n'y ont rien fait 10 voir qui en ait effacé l'éclat. Aussi a-t-il les deux grandes conditions que demande Aristote aux tragédies parfaites[3], et dont l'assemblage se rencontre si rarement chez les anciens et chez les modernes ; il les assemble même plus fortement et plus noblement que les espèces[4] que pose ce philosophe. Une 15 maîtresse que son devoir force à poursuivre la mort de son amant, qu'elle tremble d'obtenir, a les passions plus vives et plus allumées que tout ce qui peut se passer entre un mari et sa femme, une mère et son fils, un frère et sa sœur ; et la haute vertu dans un naturel sensible à ces passions, qu'elle dompte 20 sans les affaiblir, et à qui elle laisse toute leur force pour en triompher plus glorieusement, a quelque chose de plus touchant, de plus élevé et de plus aimable que cette médiocre bonté, capable d'une faiblesse et même d'un crime, où nos anciens étaient contraints d'arrêter le caractère le plus parfait 25 des rois et des princes dont ils faisaient leurs héros, afin que ces taches et ces forfaits, défigurant ce qu'ils leur laissaient de vertu, s'accommodassent au goût et aux souhaits de leurs

1. Corneille fait du « plaisir » du spectateur le meilleur critère de jugement des œuvres littéraires. Sur le succès du *Cid*, voir « La querelle du *Cid* », p. 168 à 171. \ **2.** *Licence :* liberté. \ **3.** Voir Aristote, *Poétique*. \ **4.** *Espèces :* cas.

spectateurs, et fortifiassent l'horreur qu'ils avaient conçue de leur domination et de la monarchie[1].

Rodrigue suit ici son devoir sans rien relâcher de sa passion, Chimène fait la même chose, à son tour, sans laisser ébranler son dessein[2] par la douleur où elle se voit abîmée par là ; et si la présence de son amant lui fait faire quelque faux pas, c'est une glissade dont elle se relève à l'heure même ; et non seulement elle connaît si bien sa faute qu'elle nous en avertit, mais elle fait un prompt désaveu de tout ce qu'une vue si chère lui a pu arracher[3]. Il n'est point besoin qu'on lui reproche qu'il lui est honteux de souffrir l'entretien de son amant après qu'il a tué son père ; elle avoue que c'est la seule prise que la médisance aura sur elle[4]. Si elle s'emporte jusqu'à lui dire qu'elle veut bien qu'on sache qu'elle l'adore et le poursuit, ce n'est point une résolution si ferme, qu'elle l'empêche de cacher son amour de tout son possible lorsqu'elle est en la présence du Roi[5]. S'il lui échappe de l'encourager au combat contre Don Sanche par ces paroles :

Sors vainqueur d'un combat dont Chimène est le prix[6],

elle ne se contente pas de s'enfuir de honte au même moment ; mais sitôt qu'elle est avec Elvire, à qui elle ne déguise rien de ce qui se passe dans son âme, et que la vue de ce cher objet ne lui fait plus de violence, elle forme un souhait plus raisonnable, qui satisfait sa vertu et son amour tout ensemble, et demande au Ciel que le combat se termine

Sans faire aucun des deux ni vaincu ni vainqueur[7].

Si elle ne dissimule point qu'elle penche du côté de Rodrigue, de peur d'être à Don Sanche, pour qui elle a de l'aversion[8],

1. Corneille défend ici une esthétique baroque de l'excès, du panache, plus qu'une esthétique du juste milieu et du bon goût. \ **2.** *Dessein* : projet. \ **3.** Voir *Le Cid*, V, 1, v. 1567. \ **4.** Voir *Le Cid*, III, 4, v. 987-988. \ **5.** Voir *Le Cid*, II, 7 et IV, 5. \ **6.** *Le Cid*, V, 1, v. 1566. \ **7.** *Le Cid*, V, 4, v. 1677. \ **8.** Voir *Le Cid*, V, 4, v. 1712-1713.

cela ne détruit point la protestation, qu'elle a faite un peu auparavant, que malgré la loi de ce combat, et les promesses que le Roi a faites à Rodrigue, elle lui fera mille autres ennemis, s'il en sort victorieux[1]. Ce grand éclat même qu'elle laisse faire à son amour après qu'elle le croit mort[2], est suivi d'une opposition vigoureuse à l'exécution de cette loi qui la donne à son amant[3], et elle ne se tait qu'après que le Roi l'a différée[4], et lui a laissé lieu d'espérer qu'avec le temps il y pourra survenir quelque obstacle[5]. Je sais bien que le silence passe d'ordinaire pour une marque de consentement; mais quand les rois parlent, c'en est une de contradiction : on ne manque jamais à leur applaudir quand on entre dans leurs sentiments; et le seul moyen de leur contredire avec le respect qui leur est dû, c'est de se taire, quand leurs ordres ne sont pas si pressants qu'on ne puisse remettre à s'excuser de leur obéir lorsque le temps en sera venu, et conserver cependant une espérance légitime d'un empêchement, qu'on ne peut encore déterminément[6] prévoir.

Il est vrai que dans ce sujet il faut se contenter de tirer Rodrigue de péril, sans le pousser jusqu'à son mariage avec Chimène. Il est historique et a plu en son temps; mais bien sûrement il déplairait au nôtre; et j'ai peine à voir que Chimène y consente chez l'auteur espagnol, bien qu'il donne plus de trois ans de durée à la comédie qu'il en a faite. Pour ne pas contredire l'histoire, j'ai cru ne me pouvoir dispenser d'en jeter quelque idée, mais avec incertitude de l'effet[7], et ce n'était que par là que je pouvais accorder la bienséance du théâtre avec la vérité de l'événement.

Les deux visites que Rodrigue fait à sa maîtresse ont quelque chose qui choque cette bienséance de la part de celle

---

1. Voir *Le Cid*, V, 4, v. 1694. \ **2.** Voir *Le Cid*, V, 5. \ **3.** *Amant* : amoureux. Voir *Le Cid*, V, 7. \ **4.** *Le Roi l'a différée* : le Roi en a retardé l'application. \ **5.** Voir *Le Cid*, V, 7. \ **6.** *Déterminément* : précisément. \ **7.** *Effet* : effet produit sur le spectateur.

qui les souffre[1]; la rigueur du devoir voulait qu'elle refusât de lui parler et s'enfermât dans son cabinet[2], au lieu de l'écouter ; mais permettez-moi de dire avec un des premiers esprits de notre siècle, « que leur conversation est remplie de si beaux sentiments, que plusieurs n'ont pas connu ce défaut, et que ceux qui l'ont connu l'ont toléré[3] ». J'irai plus outre[4], et dirai que tous presque ont souhaité que ces entretiens se fissent ; et j'ai remarqué aux premières représentations qu'alors que ce malheureux amant se présentait devant elle, il s'élevait un certain frémissement dans l'assemblée, qui marquait une curiosité merveilleuse et un redoublement d'attention pour ce qu'ils avaient à se dire dans un état si pitoyable[5]. Aristote dit qu'« il y a des absurdités qu'il faut laisser dans un poème, quand on peut espérer qu'elles seront bien reçues ; et il est du devoir du poète, en ce cas, de les couvrir de tant de brillants qu'elles puissent éblouir[6]. » Je laisse au jugement de mes auditeurs si je me suis assez bien acquitté de ce devoir pour justifier par là ces deux scènes. Les pensées de la première des deux sont quelquefois trop spirituelles pour partir de personnes fort affligées ; mais outre que je n'ai fait que la paraphraser de l'espagnol, si nous ne nous permettions quelque chose de plus ingénieux que le cours ordinaire de la passion, nos poèmes ramperaient souvent, et les grandes douleurs ne mettraient dans la bouche de nos acteurs que des exclamations et des hélas. Pour ne déguiser rien, cette offre que fait Rodrigue de son épée à Chimène[7], et cette protestation de se laisser tuer par Don Sanche[8], ne me plairaient pas maintenant[9]. Ces beautés étaient de mise en ce temps-là et ne

1. *Qui les souffre :* qui les tolère. Voir *Le Cid*, III, 4 et V, 1. \ **2.** *Cabinet :* lieu privé. \ **3.** Abbé d'Aubignac, *Pratique du théâtre* (1657). \ **4.** *Outre :* loin. \ **5.** *Pitoyable :* digne d'inspirer la pitié. \ **6.** Aristote, *Poétique*, XXIV. \ **7.** Voir *Le Cid*, III, 4, v. 867. \ **8.** Voir *Le Cid*, V, 1. \ **9.** Corneille fait état d'un changement de goût : d'une scène baroque emphatique, on est passé à une scène classique plus policée.

le seraient plus en celui-ci. La première est dans l'original espagnol, et l'autre est tirée sur ce modèle. Toutes les deux ont fait leur effet en ma faveur ; mais je ferais scrupule d'en étaler
115 de pareilles à l'avenir sur notre théâtre.

J'ai dit ailleurs ma pensée touchant l'Infante et le Roi[1] ; il reste néanmoins quelque chose à examiner sur la manière dont ce dernier agit, qui ne paraît pas assez vigoureuse, en ce qu'il ne fait pas arrêter le Comte après le soufflet[2] donné[3], et
120 n'envoie pas des gardes à Don Diègue et à son fils. Sur quoi on peut considérer que Don Fernand étant le premier roi de Castille, et ceux qui en avaient été maîtres auparavant lui n'ayant eu titre que de comtes, il n'était peut-être pas assez absolu sur les grands seigneurs de son royaume pour le pouvoir
125 faire. Chez Don Guillén de Castro, qui a traité ce sujet avant moi, et qui devait mieux connaître que moi quelle était l'autorité de ce premier monarque de son pays, le soufflet se donne en sa présence et en celle de deux ministres d'État, qui lui conseillent, après que le Comte s'est retiré fièrement et avec
130 bravade, et que Don Diègue a fait la même chose en soupirant, de ne le pousser point à bout, parce qu'il a quantité d'amis dans les Asturies[4], qui se pourraient révolter et prendre parti avec les Mores dont son État est environné. Ainsi il se résout d'accommoder l'affaire sans bruit et recommande le secret à
135 ces deux ministres, qui ont été seuls témoins de l'action. C'est sur cet exemple que je me suis cru bien fondé à le faire agir plus mollement qu'on ne ferait en ce temps-ci, où l'autorité royale est plus absolue. Je ne pense pas non plus qu'il fasse une faute bien grande de ne jeter point l'alarme de nuit dans sa

1. Voir le *Discours de l'utilité et des parties du poème dramatique* (1660), l'« Examen » de *Clitandre* (1660) et l'« Examen » d'*Horace* (1660), dans *Œuvres complètes*, Paris, Le Seuil, coll. « L'Intégrale », 1989. \ **2.** *Soufflet* : gifle. \ **3.** Voir *Le Cid*, I, 4. \ **4.** *Asturies* : province espagnole.

ville, sur l'avis incertain qu'il a du dessein des Mores[1], puisqu'on faisait bonne garde sur les murs et sur le port ; mais il est inexcusable de n'y donner aucun ordre après leur arrivée et de laisser tout faire à Rodrigue. La loi du combat qu'il propose à Chimène, avant que de le permettre à Don Sanche contre Rodrigue[2], n'est pas si injuste que quelques-uns ont voulu le dire[3], parce qu'elle est plutôt une menace pour la faire dédire de la demande de ce combat qu'un arrêt qu'il lui veuille faire exécuter. Cela paraît en ce qu'après la victoire de Rodrigue il n'en exige pas précisément l'effet de sa parole et la laisse en état d'espérer que cette condition n'aura point de lieu.

Je ne puis dénier que la règle des vingt et quatre heures[4] presse trop les incidents de cette pièce. La mort du Comte et l'arrivée des Mores s'y pouvaient entresuivre[5] d'aussi près qu'elles font, parce que cette arrivée est une surprise qui n'a point de communication, ni de mesures à prendre avec le reste ; mais il n'en va pas ainsi du combat de Don Sanche, dont le Roi était le maître, et pouvait lui choisir un autre temps que deux heures après la fuite des Mores[6]. Leur défaite avait assez fatigué Rodrigue toute la nuit pour mériter deux ou trois jours de repos, et même il y avait quelque apparence qu'il n'en était pas échappé sans blessures, quoique je n'en aie rien dit, parce qu'elles n'auraient fait que nuire à la conclusion de l'action.

Cette même règle presse aussi trop Chimène de demander justice au Roi la seconde fois[7]. Elle l'avait fait le soir d'auparavant[8], et n'avait aucun sujet d'y retourner le lendemain matin pour en importuner le Roi, dont elle n'avait encore aucun lieu de se plaindre, puisqu'elle ne pouvait encore dire

1. Voir *Le Cid*, II, 6, v. 634-635. \ **2.** Voir *Le Cid*, IV, 5. \ **3.** Scudéry notamment. \ **4.** Selon cette règle, la durée de l'action ne doit pas excéder une journée. \ **5.** *Entresuivre :* succéder. \ **6.** Voir *Le Cid*, IV, 5. \ **7.** Voir *Le Cid*, IV, 5. \ **8.** Voir *Le Cid*, II, 7.

qu'il lui eût manqué de promesse. Le roman lui aurait donné
170 sept ou huit jours de patience avant que de l'en presser de nouveau; mais les vingt et quatre heures ne l'ont pas permis : c'est l'incommodité de la règle. Passons à celle de l'unité de lieu[1], qui ne m'a pas donné moins de gêne en cette pièce. Je l'ai placée dans Séville[2], bien que Don Fernand n'en ait jamais
175 été le maître; et j'ai été obligé à cette falsification pour former quelque vraisemblance à la descente des Mores, dont l'armée ne pouvait venir si vite par terre que par eau. Je ne voudrais pas assurer toutefois que le flux de la mer monte effectivement jusque-là; mais, comme dans notre Seine il fait encore plus de
180 chemin qu'il ne lui en faut faire sur le Guadalquivir[3] pour battre les murailles de cette ville, cela peut suffire à fonder quelque probabilité parmi nous, pour ceux qui n'ont point été sur le lieu même.

Cette arrivée des Mores ne laisse pas d'avoir ce défaut, que
185 j'ai marqué ailleurs[4], qu'ils se présentent d'eux-mêmes sans être appelés dans la pièce, directement ni indirectement, par aucun acteur du premier acte. Ils ont plus de justesse dans l'irrégularité de l'auteur espagnol : Rodrigue, n'osant plus se montrer à la Cour, les va combattre sur la frontière; et ainsi le
190 premier acteur les va chercher et leur donne place dans le poème, au contraire de ce qui arrive ici, où ils semblent se venir faire de fête exprès pour en être battus, et lui donner moyen de rendre à son roi un service d'importance, qui lui fasse obtenir sa grâce. C'est une seconde incommodité de la
195 règle dans cette tragédie.

Tout s'y passe donc dans Séville[5], et garde ainsi quelque espèce d'unité de lieu en général; mais le lieu particulier

---

1. Selon cette règle, l'action doit se dérouler en un lieu unique. **2.** Voir *Le Cid*, II, 6, v. 623. **3.** *Guadalquivir* : fleuve. **4.** Voir le *Discours de l'utilité et des parties du poème dramatique* (1660), *op. cit.* **5.** *Séville* : ville d'Andalousie.

change de scène en scène, et tantôt c'est le palais du Roi, tantôt l'appartement de l'Infante, tantôt la maison de Chimène, et tantôt une rue ou place publique. On le détermine aisément pour les scènes détachées, mais pour celles qui ont leur liaison ensemble, comme les quatre dernières du premier acte, il est malaisé d'en choisir un qui convienne à toutes. Le Comte et Don Diègue se querellent au sortir du palais[1], cela se peut passer dans une rue ; mais, après le soufflet[2] reçu, Don Diègue ne peut pas demeurer en cette rue à faire ses plaintes, attendant que son fils survienne, qu'il ne soit tout aussitôt environné de peuple, et ne reçoive l'offre de quelques amis. Ainsi il serait plus à propos qu'il se plaignît dans sa maison, où le met l'Espagnol, pour laisser aller ses sentiments en liberté ; mais en ce cas il faudrait délier les scènes comme il a fait. En l'état où elles sont ici, on peut dire qu'il faut quelquefois aider au théâtre et suppléer favorablement ce qui ne s'y peut représenter. Deux personnes s'y arrêtent pour parler, et quelquefois il faut présumer qu'ils marchent, ce qu'on ne peut exposer sensiblement à la vue, parce qu'ils échapperaient aux yeux avant que d'avoir pu dire ce qu'il est nécessaire qu'ils fassent savoir à l'auditeur. Ainsi, par une fiction de théâtre, on peut s'imaginer que Don Diègue et le Comte, sortant du palais du Roi, avancent toujours en se querellant, et sont arrivés devant la maison de ce premier lorsqu'il reçoit le soufflet qui l'oblige à y entrer pour y chercher du secours. Si cette fiction poétique ne vous satisfait point, laissons-le dans la place publique, et disons que le concours[3] du peuple autour de lui après cette offense, et les offres de service que lui font les premiers amis qui s'y rencontrent, sont des circonstances que le roman ne doit pas oublier ; mais que ces menues actions ne servant de

1. Voir *Le Cid*, I, 4. \ **2.** *Soufflet* : gifle. \ **3.** *Concours* : rassemblement.

rien à la principale, il n'est pas besoin que le poète s'en embarrasse sur la scène. Horace l'en dispense par ces vers :

230 *Hoc amet, hoc spernat promissi carminis auctor,*
Pleraque negligat[1].

Et ailleurs :

Semper ad eventum fertinet[2].

C'est ce qui m'a fait négliger, au troisième acte, de donner
235 à Don Diègue, pour aide à chercher son fils, aucun des cinq cents amis qu'il avait chez lui. Il y a grande apparence que quelques-uns d'eux l'y accompagnaient, et même que quelques autres le cherchaient pour lui d'un autre côté ; mais ces accompagnements inutiles de personnes qui n'ont rien à
240 dire, puisque celui qu'ils accompagnent a seul tout l'intérêt à l'action, ces sortes d'accompagnements, dis-je, ont toujours mauvaise grâce au théâtre, et d'autant plus que les comédiens n'emploient à ces personnages muets que leurs moucheurs de chandelles et leurs valets, qui ne savent quelle posture
245 tenir.

Les funérailles du Comte étaient encore une chose fort embarrassante, soit qu'elles se soient faites avant la fin de la pièce, soit que le corps ait demeuré en présence dans son hôtel, attendant qu'on y donnât ordre. Le moindre mot que j'en
250 eusse laissé dire, pour en prendre soin, eût rompu toute la chaleur de l'attention, et rempli l'auditeur d'une fâcheuse idée. J'ai cru plus à propos de les dérober à son imagination par mon silence, aussi bien que le lieu précis de ces quatre scènes du premier acte dont je viens de parler ; et je m'assure que cet

1. Horace, *Art poétique*, v. 44-45 : « Que l'auteur d'un poème promis aime ceci, dédaigne cela, et néglige maints détails. » Corneille cite de mémoire. \ **2.** « Qu'il se hâte toujours vers ce dénouement » (*ibid.*, v. 148).

55 artifice m'a si bien réussi, que peu de personnes ont pris garde à l'un ni à l'autre, et que la plupart des spectateurs, laissant emporter leurs esprits à ce qu'ils ont vu et entendu de pathétique en ce poème, ne se sont point avisés de réfléchir sur ces deux considérations.

60 J'achève par une remarque sur ce que dit Horace que ce qu'on expose à la vue touche bien plus que ce qu'on n'apprend que par un récit [1].

C'est sur quoi je me suis fondé pour faire voir le soufflet que reçoit Don Diègue [2], et cacher aux yeux la mort du Comte, afin 65 d'acquérir et conserver à mon premier acteur l'amitié des auditeurs, si nécessaire pour réussir au théâtre. L'indignité d'un affront fait à un vieillard, chargé d'années et de victoires, les jette aisément dans le parti de l'offensé et cette mort, qu'on vient dire au roi tout simplement sans aucune narration 70 touchante, n'excite point en eux la commisération qu'y eût fait naître le spectacle de son sang, et ne leur donne aucune aversion pour ce malheureux amant [3], qu'ils ont vu forcé par ce qu'il devait à son honneur d'en venir à cette extrémité, malgré l'intérêt et la tendresse de son amour.

1. Voir Horace, *Art poétique*, v. 180-181. \ **2.** Voir *Le Cid*, I, 4. \ **3.** *Amant :* amoureux.

DOSSIER

LIRE L'ŒUVRE

151 **Questionnaire de lecture**
Le titre de la pièce
Corneille et les règles
La structure de la pièce
Genre et registres
Les personnages
Intrigue et thèmes principaux
Enjeux et portée de la pièce

L'ŒUVRE DANS L'HISTOIRE

157 **Le contexte historique et social des années 1630 : un univers en mutation**
Une France en péril
Chronique de l'actualité judiciaire
La naissance de l'absolutisme : mettre l'épée au service de la couronne

161 **Le contexte idéologique et culturel**
Les derniers feux de l'héroïsme féodal
L'avènement d'un goût classique

166 **Le contexte biographique : *Le Cid*, ou le triomphe d'un auteur**
Un bourgeois sans histoire
Les premiers succès, le triomphe du *Cid*
L'ombre portée de l'échec
Le retour au théâtre

168 **La réception de la pièce**
Accords et désaccords à l'âge classique
Au XIXe siècle : *Le Cid* romantique
Au XXe siècle : comédiens et metteurs en scène au service du *Cid*

174 **Groupement de textes : figures héroïques à l'âge classique**

L'ŒUVRE DANS UN GENRE

183 ***Le Cid* : une pièce inclassable ?**
Un texte en mouvement
La version de 1637 : une tragi-comédie baroque
De 1637 à 1660 : métamorphose du *Cid* en tragédie classique ?

194 **Groupement de textes : les formes du langage théâtral dans *Le Cid***

VERS L'ÉPREUVE

201 **L'argumentation dans *Le Cid***
Une pièce d'insoumis
Une pièce édifiante
Une œuvre de propagande ?

206 **Groupement de textes : jugements critiques**

213 **Sujets**
Invention et argumentation
Commentaires
Dissertations

221 BIBLIOGRAPHIE

LIRE
L'ŒUVRE

ESTIONNAIRE DE LECTURE

LE TITRE DE LA PIÈCE

1. Quelle est la signification du titre ? Le jugez-vous judicieux ? Quel autre titre pourriez-vous proposer ? Pourquoi ?

■ Pour répondre

Le titre de la pièce est explicité dans la tragi-comédie elle-même (IV, 3, v. 1232-1234). Le titre de Corneille ne fait mention que du personnage masculin, Rodrigue. On pourrait envisager un titre qui évoquerait le couple héroïque Chimène/Rodrigue.

CORNEILLE ET LES RÈGLES

2. La pièce de Corneille respecte-t-elle la règle des trois unités ?

■ Pour répondre

Pour les théoriciens du théâtre (Scudéry ou Chapelain), la tragédie doit respecter la règle des trois unités : l'unité de lieu (il ne doit pas y avoir de changement de lieu scénique), l'unité de temps (la durée de l'intrigue ne doit pas excéder vingt-quatre heures) et l'unité d'action (une seule intrigue principale doit exister). Corneille évoque ces règles dans l'« Examen » qu'il ajoute en 1660 mais le dramaturge préfère toujours privilégier le plaisir du spectateur plutôt que le strict respect des règles.

3. *Le Cid* respecte-t-il la règle de la bienséance ?

■ Pour répondre

La règle de la bienséance est fondamentale dans le théâtre classique : elle soutient que le spectacle porté aux yeux du public doit être conforme aux goûts et aux mœurs de l'époque. La bienséance implique ainsi le bannissement de la représentation de toute violence physique ou inconvenance morale sur scène.

LA STRUCTURE DE LA PIÈCE

4. Sur combien de scènes l'exposition s'étend-elle ? Identifiez aussi le nœud, les péripéties et le dénouement.

■ Pour répondre

Dans le théâtre du XVIIe siècle, une pièce doit être bâtie de manière rigoureuse. Elle doit s'ouvrir sur l'*exposition* (qui s'étend sur les premières scènes de la pièce, voire sur l'ensemble du premier acte), qui a pour fonction de donner aux spectateurs des informations sur le cadre spatio-temporel, les personnages et l'intrigue de la pièce. Le défi, pour un dramaturge, consiste à rédiger une exposition dynamique malgré l'importante quantité d'informations à livrer en peu de scènes.

À l'exposition, succède le *nœud* de la pièce, c'est-à-dire la partie centrale dans laquelle so
représentés des protagonistes confrontés à différents périls. Les *péripéties* viennent air
dynamiser l'action dramatique et assurer un suspense.
Enfin, la pièce s'achève sur le *dénouement*, ou catastrophe, qui se déploie au dernier acte
qui doit être rapide (il faut congédier le spectateur avec une image forte), complet (tous l
fils de l'intrigue doivent être dénoués) et nécessaire (le dénouement doit avoir été prépa
par le reste de la pièce).

5. Quels sont les différents obstacles qui empêchent Chimène Rodrigue de s'aimer ?

Pour répondre

Le souci majeur d'un dramaturge est de soutenir l'attention du spectateur. Pour cela, les auteu
du XVIIe siècle, et notamment ceux de tragi-comédies, contre l'avis d'Aristote qui préconis
un péril unique, ont multiplié les péripéties afin de donner du rythme à l'action dramatiqu
Ces péripéties sont autant d'obstacles, d'embûches, qui se dressent sur la route des hér
afin de nuire à leur bonheur et à l'accomplissement de leur désir.

GENRE ET REGISTRES

6. Quel est l'horizon d'attente créé par le sous-titre générique « trag comédie » ?

Pour répondre

L'horizon d'attente est l'image que le spectateur se construit de l'intrigue dramaturgique
partir du titre ou du sous-titre. Corneille, dans sa première version du *Cid* (1637), a qualifié
pièce de « tragi-comédie ». Le spectateur sait à quoi s'attendre car la tragi-comédie est tr
codifiée : amour contrarié, péripéties multiples, dénouement heureux en sont les fondemen

7. Pourquoi Corneille rebaptise-t-il sa pièce « tragédie » en 1648, alo qu'il n'en change pas le dénouement ? Lisez le dénouement de 166 (p. 123) : en quoi est-il conforme au dénouement tragique ?

Pour répondre

En 1648, les écrits des théoriciens du théâtre font autorité : Scudéry ou encore Chapelain o
fait de la tragédie le genre théâtral le plus noble. Corneille, soucieux de se forger une ima
de grand auteur, rebaptise donc sa pièce.
En 1660, Corneille change la fin du *Cid* pour la rendre conforme aux codes du dénoueme
tragique (fin malheureuse) et aux lois de la bienséance.

8. Identifiez dans la pièce des passages dans lesquels le spectate éprouve de la pitié pour les personnages, des passages dans lesquels les admire et des passages dans lesquels il ressent leur colère.

Pour répondre

Le Cid est marqué par une variété des registres, propre à l'esprit et à l'écriture de la tra
comédie. Se côtoient donc, dans la pièce, les registres pathétique, tragique, épique et po
mique.

LES PERSONNAGES

9. Qui est, selon vous, le héros de la pièce ?

■ Pour répondre

La notion de « héros » est fondamentale dans la dramaturgie cornélienne. Le héros est celui qui met son honneur au-dessus de toute valeur et ne cède jamais à de viles passions. Soucieux de sa gloire, il a conscience de sa valeur et de ce qu'il se doit. Il est un être fort, qui construit et contrôle son destin.

10. Dressez le portrait du roi don Fernand et montrez que cette figure est en perpétuelle évolution dans la pièce.

■ Pour répondre

La représentation du roi est essentielle dans la pièce de Corneille. Pensez à mettre en rapport le texte et son contexte historique de création. En 1637, Louis XIII gouverne ; il doit affirmer son autorité et son pouvoir face à une noblesse puissante, très attachée à ses privilèges et à son prestige. Les conseils de fermeté adressés tout au long de la pièce au roi peuvent donc apparaître comme les conseils d'un précepteur à un monarque en quête d'autorité.

11. Indiquez ce qui réunit et/ou oppose Rodrigue et son père. En quoi la pièce montre-t-elle une mutation du héros éponyme ?

■ Pour répondre

Rodrigue doit se montrer digne de sa filiation. Pour autant, il n'est pas une réplique parfaite de son père. C'est la notion même de héros qui se modifie au fil de la pièce. *Le Cid* peint en effet le passage d'un monde féodal à un monde moderne, marqué par le triomphe de l'absolutisme.

INTRIGUE ET THÈMES PRINCIPAUX

12. Quel est le rôle du personnage de l'infante ?

■ Pour répondre

Les personnages, dans une pièce de théâtre, se répartissent entre personnages principaux et secondaires. Les personnages secondaires ont deux fonctions possibles dans le schéma actantiel d'une pièce : soit ils sont adjuvants (c'est-à-dire qu'ils aident les héros à parvenir au bonheur), soit ils sont opposants (c'est-à-dire qu'ils sont des obstacles au bonheur des héros).

13. En quoi le récit du Cid, à l'acte IV, scène 3, est-il nécessaire ? Quel rôle joue-t-il dans la progression de l'action ? Quel sentiment suscite-t-il chez le spectateur ?

■ Pour répondre

N'oubliez pas que le théâtre est soumis à des contraintes matérielles. Il aurait été impossible à Corneille de mettre en scène le récit épique de cette bataille grandiose. Dans le théâtre du XVIIe siècle, le récit se substitue fréquemment au spectacle et aux images.

14. Relevez les passages de la pièce où les questions de politique sont abordées. En quoi la politique et la passion sont-elles mêlées dans l'intrigue ?

■ Pour répondre
Dans une tragi-comédie, l'amour est le thème central et le pouvoir se dresse souvent comme un obstacle.

ENJEUX ET PORTÉE DE LA PIÈCE

15. Peut-on dire que *Le Cid* reflète la société du XVIIe siècle ? Vous rédigerez un paragraphe argumenté et illustré pour justifier votre réponse.

■ Pour répondre
N'oubliez pas qu'une seule classe sociale est représentée dans la pièce : l'élite aristocratique. N'oubliez pas non plus que la figure royale est essentielle dans *Le Cid* et qu'au milieu du XVIIe siècle s'établit un rapport de force entre le roi et la noblesse afin de savoir qui détiendra définitivement le pouvoir.

L'ŒUVRE
DANS L'HISTOIRE

CONTEXTE HISTORIQUE ET SOCIAL

S ANNÉES 1630 : UN UNIVERS EN MUTATION

Peu de pièces du XVIIe siècle résonnent autant que *Le Cid* d'échos de l'actualité. L'héroïsme de don Diègue et du comte rappelle la vaillance, la bravoure et les exploits militaires des grands, qui dominent la scène politique dans le premier tiers du XVIIe siècle. De même, la figure du monarque dans la pièce cornélienne peut relater, sur le mode fictionnel, la naissance de l'absolutisme et la prise du pouvoir par Louis XIII.

UNE FRANCE EN PÉRIL

La pièce du *Cid* peut se lire comme un témoignage historique : les vers cornéliens racontent, en creux, les péripéties militaires que connaît la France dans les années 1630. Janvier 1637 : Corneille triomphe sur les planches avec son *Cid* ; l'atmosphère est festive, les esprits, euphoriques. C'est que le public parisien est soulagé : quelques mois auparavant, l'armée française se trouvait encore dans une situation dramatique, Paris manquait de tomber aux mains de l'ennemi.

En effet, depuis le 19 mai 1635, la France est en guerre contre l'Espagne et l'Empire germanique (guerre deTrenteAns). L'année 1636 est marquée par des offensives concertées de ses adversaires : les Impériaux mettent le siège devant Saint-Jean-de-Losne et les Espagnols attaquent et prennent, au sud, Saint-Jean-de-Luz avant de se diriger vers la Picardie. Le 15 août 1636, la ville de Corbie se rend sans combattre : la dernière barrière avant la capitale s'est effondrée. L'ennemi est aux portes de Paris. Les vers de Corneille reflètent cette atmosphère de panique : « La flotte qu'on craignait dans ce grand fleuve entrée/Vient surprendre la ville et piller la contrée,/[...] La Cour est en désordre et le peuple en alarmes » (v. 1083-1084 et 1087).

La contre-offensive française est lancée et se révèle victorieuse : Corbie est reprise par les troupes de Richelieu le 14 novembre 1636, et les Impériaux échouent à prendre Saint-Jean-de-Losne. Paris est sauvée.

Ainsi, le long récit de la victoire de Rodrigue sur les Maures (IV, 3) fa
directement écho au récent triomphe militaire français et exalte un
victoire éclatante. Les vers cornéliens et leur tonalité épique et bel
queuse flattent par conséquent l'orgueil et la fierté nationaux.

CHRONIQUE DE L'ACTUALITÉ JUDICIAIRE

Le Cid rappelle la politique extérieure de la France dans les années 163
mais témoigne aussi des réformes politiques menées par Richelieu su
le plan intérieur. Depuis 1624, le puissant Cardinal est aux affaires et n
qu'une idée en tête : asseoir l'autorité et le pouvoir royaux afin de dompt
l'arrogance et l'esprit d'indépendance de la noblesse française. E
témoigne son édit de février 1626 sur le duel, qui inflige amende
bannissement ou même condamnation à mort aux duellistes. Entre 160
et 1723, huit édits royaux sont publiés afin de faire interdire cet
pratique. Le duel est non seulement, dans la première moitié d
XVIIe siècle, un enjeu démographique (4 000 nobles seraient mor
de cette manière entre 1600 et 1610), mais il est aussi – peut-être surtout
un enjeu politique. Proscrire le duel, c'est ôter aux grands le droit de s
faire justice ; c'est donc les remettre, en cas de litige, aux mains de
justice royale.

La pièce de Corneille met en scène cette actualité judiciaire et présen
plusieurs cas de duels. Tout d'abord, le comte et Rodrigue (II, 2) pro
cèdent à un duel « *a la mazza* » (c'est-à-dire « à la haie »), qui se dérou
sans contrôle ni cérémonial et conduit à une mort. Une autre forme d
duel apparaît dans la pièce : le duel judiciaire. C'est une forme trè
ancienne, qui a pour but de punir un homme qui a été épargné par
roi (IV, 3, v. 1266). Il a lieu entre Rodrigue et don Sanche à la suite d
la demande de Chimène (IV, 5, v. 1408-1411). Le public du *Cid* ne peu
donc s'empêcher de lire dans ces deux épisodes de duel une allusio
explicite à la politique menée par Richelieu : le Cardinal entend établ
un nouvel ordre, marqué par l'obéissance et la soumission de la nobless
au roi.

LA NAISSANCE DE L'ABSOLUTISME : METTRE L'ÉPÉE AU SERVICE DE LA COURONNE

On garde – à tort – du XVIIe siècle la seule image de son monarque absolu : Louis XIV. C'est oublier que le père de Louis XIV, Louis XIII, aidé de Richelieu, a dû lutter pour asseoir son pouvoir et son autorité. L'absolutisme ne s'est pas imposé aisément.

1610-1624 : la crise de l'autorité monarchique

Entre 1610 et 1624, l'autorité monarchique a connu une grave crise. Après l'assassinat de Henri IV, en 1610, Marie de Médicis devient régente mais ne manifeste aucun sens politique. Le pouvoir est par conséquent attaqué de toutes parts. Les grands veulent assouvir leur appétit de domination. Condé, Guise, ou encore Nevers, entendent exercer leur influence et infléchir la politique française ; les protestants s'agitent également et exigent des garanties auprès de Marie de Médicis, même si cette dernière a confirmé l'édit de Nantes qui, depuis 1598, tolère la pratique de la religion réformée dans le royaume de France. La contestation est vive : le train de vie fastueux de la maison royale est la cible des critiques tout comme la politique extérieure de la reine et son refus de multiplier les pensions accordées aux courtisans.

En 1615, un an après la fin de la régence de Marie de Médicis, le ministre Concini appelle au pouvoir de nouveaux hommes afin de sauvegarder l'autorité royale face aux prétentions des grands : Richelieu devient secrétaire d'État en 1616. Durant trois semaines, une répression autoritaire et sans compromis est menée : Condé est embastillé, trois armées marchent sur la Champagne et le Nivernais que Nevers avait réussi à soulever. La paix en Europe est sauvegardée grâce au sens diplomatique de Richelieu. L'autorité royale est sauvée mais le roi, écarté des affaires, prend ombrage de la réussite insolente de son ministre Concini. Il le fait assassiner le 24 avril 1617. Le duc de Luynes prend alors le royaume en main ; pendant quatre ans, le favori mène une politique privilégiant le camp catholique et cherche à écraser les protestants. Après la mort de Luynes devant Montauban en 1621, Richelieu affirme sa suprématie politique et s'impose comme puissant chef du Conseil du roi en 1624.

Le crépuscule des grands

Dès le début de son ministère, Richelieu doit faire face à une forte agitation nobiliaire. Il fait preuve d'une sévérité intransigeante et n'hésite nullement à ordonner les exécutions des meneurs de la contestation aristocratique. Le Cardinal veut imposer une nouvelle définition de la monarchie : pour lui, le roi se doit d'être absolu (voir II, 1, v. 389) et de s'imposer comme le chef des armées et du pouvoir judiciaire. Pour réussir cette entreprise, il faut non pas anéantir la noblesse, que Richelieu définit, dans son *Testament politique*, comme « un des principaux nerfs de l'État », mais la domestiquer, rabaisser sa superbe.

Ce contexte socio-politique de la France monarchique des années 1630 est très explicitement mis en scène dans *Le Cid*, où l'autorité royale est malmenée par une noblesse turbulente : don Diègue provoque le comte en duel (I, 4), Rodrigue part combattre les Maures sans recourir à l'autorité royale (IV, 3, v. 1258). Les nobles ne reconnaissent le roi que comme le premier des gentilshommes. Et le comte d'affirmer : « Pour grands que soient les Rois, ils sont ce que nous sommes » (I, 4, v. 151). De même, Chimène refuse le jugement royal : elle veut se trouver un champion pour défendre son nom (IV, 5, v. 1408-1411) et fait fi des ordres du monarque jusqu'à désobéir. Pour elle, comme pour l'ensemble de la noblesse, c'est la gloire personnelle qui importe et non la défense de la royauté.

En se fondant sur le droit féodal, l'aristocratie défend donc un droit à se faire soi-même justice. Privé de son titre de chef des armées et du pouvoir judiciaire, le roi n'est qu'un pantin impuissant face aux arrogantes et orgueilleuses revendications des grands. Mais Richelieu entend substituer l'amour et le service de l'État à ce désir personnel de gloire.

L'aube de l'absolutisme

L'intrigue du *Cid* dessine ainsi un monde et des mentalités en pleine mutation. Elle peint la genèse de héros modernes : Rodrigue et Chimène. Rodrigue, après avoir accepté de laver l'honneur familial souillé en tuant le comte en duel (II, 2), se met au service du roi et œuvre pour que triomphe sa politique absolutiste. S'il décide sans l'autorité du roi de combattre les Maures (IV, 3, v. 1258), il le fait non pour assurer sa gloire mais pour « défendre l'État » (IV, 3, v. 1261). Il est symptomatique également que le long récit de sa bataille contre l'ennemi (IV, 3) se clôt sur l'expression « pour votre service » (IV, 3, v. 1339) et que la pièce s'achève sur le mot « Roi », qui rime avec « toi » (V, 7, v. 1865-1866). Le couple rimique ne dit plus l'opposition et l'affrontement mais au contraire la déférence et le respect mutuels. Rodrigue est bien devenu à la fin de la pièce ce champion de la royauté qui met son bras au service du pouvoir. Chimène finit, elle aussi, par accepter le verdict royal (V, 7, v. 1830 : « Et vous êtes mon Roi, je vous dois obéir »).

Enfin, la figure royale évolue tout au long de la pièce : le roi est un personnage qui se construit au fil des vers, au fil du temps. D'abord en retrait (il n'apparaît qu'à la scène 6 de l'acte II) et en conflit avec ses vassaux, et notamment avec Chimène (IV, 5, v. 1395-1396), il s'impose finalement comme maître des armées et de l'autorité judiciaire. Son image finale est pleinement glorieuse : détenteur des *regalia*[1] royaux, il n'entend plus se laisser gouverner mais veut « ordonner » (V, 7, v. 1860). *Le Cid* est donc une pièce éminemment politique. Intrigue privée et enjeu collectif s'entremêlent pour glorifier et magnifier la prise du pouvoir par Louis XIII. À l'héroïsme du Cid répond désormais le sublime monarchique.

CONTEXTE IDÉOLOGIQUE ET CULTUREL

Corneille qualifie sa comédie baroque *L'Illusion comique* (1636) de « monstre », tant la pièce semble échapper à toute définition générique et à toute inscription culturelle. Le terme de « monstre » pourrait tout aussi bien s'appliquer à la tragi-comédie du *Cid* : au confluent de nombreuses influences éthiques, idéologiques et sociologiques, la tragi-comédie cornélienne est une œuvre hybride, difficile à caractériser. Tableau d'un monde en pleine mutation, la pièce manifeste à la fois ce que Paul Bénichou nomme une « sensibilité féodale[2] » et une sensibilité nouvelle, qui pourrait être qualifiée de « classique » : si *Le Cid*

1. *Regalia :* objets précieux du sacre du roi comprenant sceptre, main de justice et couronne. \ 2. Paul Bénichou, *Morales du grand siècle* (1948), « Le Héros cornélien », Paris, Gallimard, coll. « Folio essais », 1988, p. 15-67.

exalte le système ancien des valeurs de l'aristocratie de l'époque d
Louis XIII, il porte aussi la trace d'un goût et d'une éthique qui tende
à se policer.

LES DERNIERS FEUX DE L'HÉROÏSME FÉODAL

En 1637, quand *Le Cid* se joue pour la première fois, la France est e
guerre : cette atmosphère de conflit favorise l'exaltation du courage e
de la bravoure en littérature. Épiques et belliqueuses, les lettres so
influencées par un esprit aristocratique hérité du monde et du systèm
féodaux. Ainsi, les vers de Corneille font souvent référence au Moye
Âge, à ses valeurs ou ses coutumes. Dans la scène 5 de l'acte I
Chimène se cherche des « chevaliers » (v. 1411) pour venger l'honne
de son père et recourt ainsi à la pratique féodale du duel judiciaire. L
substantif même de « chevaliers » rappelle la veine du roman de cheva
lerie encore à la mode à la cour de Louis XIII. Le monde du *Cid* est u
univers violent, où la force règne. Il suffit de voir avec quelle véhémen
verbale don Diègue balaie d'un revers d'alexandrin l'amour que Rodrigu
peut éprouver pour Chimène : « Nous n'avons qu'un honneur, il est ta
de maîtresses ;/L'amour n'est qu'un plaisir, et l'honneur un devoir
(III, 6, v. 1068-1069). La femme est rejetée sans égard par le père d
Rodrigue, qui n'aspire qu'au triomphe de mâles valeurs.

La valeur suprême, c'est le dépassement de soi, c'est l'héroïsme, qui res
la référence éthique dominante de l'aristocratie sous Louis XIII. Ala
Couprie note que « l'héroïsme est [...] un des idéaux de la société ari
tocratique de l'époque[1] ». En témoigne, selon ce critique, la prégnan
du concept d'héroïsme dans la littérature de civilité du premier tiers d
siècle[2]. Se comporter en héros, à l'image de Rodrigue et de ses pair
signifie tout d'abord être généreux. L'adjectif, qui est formé sur le lat
genus (la race, la lignée), rappelle la supériorité et la suprématie du san
chez le héros. Il est cette âme bien née (II, 2, v. 407) que son nom invi
à la gloire. Ce nom, il faut sans cesse le défendre pour qu'il ne soit pa

1. Alain Couprie, *Pierre Corneille, « Le Cid »*, Paris, PUF, coll. « Études littéraires », 1989, p. 1
\ 2. Alain Couprie cite les ouvrages de Nicolas Pasquier, *Le Gentilhomme* (1611), de Lo
Richeome, *L'Académie d'honneur* (1614), ou encore de Nicolas Faret, *L'Honnête Homme,
l'art de plaire à la cour* (1630), dans *Pierre Corneille, « Le Cid »*, *op. cit.*, p. 10.

souillé. Le généreux, soucieux de son honneur, est donc prêt à sacrifier son bonheur personnel au nom du sang. Si Rodrigue aime Chimène, il aime davantage son nom (I, 7, v. 344). La morale héroïque est donc tout entière synonyme d'abdication des penchants individuels au profit des valeurs de sa caste. C'est pourquoi Paul Bénichou peut dire que la pièce du *Cid* manifeste une « apothéose de la volonté[1] » : la pièce exalte un « moi » magnanime, qui manifeste grandeur d'âme et maîtrise de soi. Fier de lui-même, ce « moi » enflé d'orgueil revendique sa valeur. Le monde du *Cid* est bien celui de l'arrogance, du panache. Guerrier infatigable et téméraire, corps énergique, cœur magnanime, le héros manifeste audace et exaltation.

L'amour contribue à cette grandeur d'âme dans ce schéma féodal. L'idée de l'amour courtois imprègne le monde aristocratique. Loin d'aliéner le héros à des penchants passionnels, l'amour l'invite à se dépasser, à se sublimer pour sa dame. La femme est une maîtresse exigeante, qui soumet le héros à des épreuves, que ce dernier accepte et qui le qualifient. Dans la scène 7 de l'acte V, Rodrigue demande fièrement : « Que peut-on m'ordonner que mon bras n'accomplisse ? » (v. 1860). L'amour n'est donc qu'élévation, qu'émulation héroïque. Les valeurs aristocratiques, héritées d'une éthique féodale, que les nobles tenteront de sauver jusqu'à la Fronde (1648-1652), sont donc encore très présentes dans la pièce de Corneille. Cependant, une mutation du goût et des valeurs est en cours. Si sur un plan politique le roi aspire à domestiquer la noblesse, sur le plan éthique et culturel se manifeste une volonté de domestiquer et de civiliser les mœurs.

L'AVÈNEMENT D'UN GOÛT CLASSIQUE

L'« esprit de la monarchie absolue tend [...] à la régularité[2] ». La royauté veut ainsi substituer, à la brutalité du pouvoir familial, règles et régularité. À l'image d'une société qui aspire à davantage d'ordre, la littérature aspire à plus de raffinement.

---

1. Paul Bénichou, *Morales du grand siècle*, *op. cit.*, p. 18. \ 2. *Ibid.*, p. 58.

Le raffinement précieux

Le triomphe de l'esprit précieux manifeste un nouveau désir d'élégance et de distinction dans les manières et dans le langage. Dès 1620, Catherine de Vivonne, outrée de la grossièreté qui règne à la cour de Louis XIII, achète un hôtel particulier et décide de recevoir des gens lettrés et bien élevés. Seuls des aristocrates sont reçus ; raffinement et spiritualité sont de mise à l'hôtel de Rambouillet. Bals masqués, questions de psychologie amoureuse, lectures de pièces, jeux littéraires ou encore concours poétiques, animent ces soirées précieuses. La langue aussi se raffine : le genre rare de la métamorphose en poésie est utilisé par Vincent Voiture ; les formes brèves de la maxime ou de la sentence permettent aux auteurs de manifester leur virtuosité stylistique ; hyperboles, métaphores et comparaisons se bousculent pour célébrer la beauté féminine ou la beauté cosmique. La préciosité, dont Saint-Simon dira qu'elle fut « une espèce d'Académie de beaux esprits, de galanterie, de vertu et de science[1] », contribue ainsi à civiliser les mœurs[2]. Corneille ne recherche pas la subtilité stylistique précieuse dans *Le Cid* mais goûte néanmoins les sentences politiques ou morales bien frappées (IV, 3, v. 1249-1250 ; II, 1, v. 367-368). De la même façon, Chimène clame son amour pour Rodrigue sur un mode hyperbolique et enflammé (III, 3).

Le Vrai, le Beau, le Bien

Sous Louis XIII et Richelieu, les arts se voient assigner une nouvelle finalité : le discours esthétique doit élever les âmes à la vertu et célébrer le Beau et le Bien. Paul Pellisson note dans son *Histoire de l'Académie* : « La passion que le Cardinal avait pour la poésie dramatique, l'avait mise en ce temps-là parmi les Français au plus haut point où elle eût encore été. Tous ceux qui se sentaient quelque génie ne manquaient pas de travailler pour le théâtre[3]. » À l'évolution des goûts et des conduites répond une mutation des genres littéraires qui s'épurent. Le

---

1. Saint-Simon, *Mémoires* (1723-1750), Paris, Delloye, 1842, t. XI, p. 159. \ **2.** Sur la préciosité, voir Myriam Dufour-Maître, *Les Précieuses : naissance des femmes de lettres en France au XVIIe siècle*, Paris, Champion, 1999. \ **3.** Paul Pellisson-Fontanier et Pierre-Joseph Thorellier d'Olivet, *Histoire de l'Académie française* (1653), Paris, Didier, 1858, vol. 1, p. 81.

théâtre gomme ses outrances et ses irrégularités ; des règles s'imposent peu à peu aux dramaturges. L'ancienne tragédie était sanglante et violente : dans le *Pyrame et Thisbé* de Théophile de Viau[1], on bafouait l'autorité parentale, on aspirait à tuer ses semblables, on s'éventrait sur scène. Le sang, la violence et la haine étaient au cœur d'une dramaturgie spectaculaire. *Le Cid* porte au contraire la trace d'une esthétique visuelle qui tend à se policer : si le père de Rodrigue reçoit un « soufflet » sur scène (I, 4), Rodrigue et le comte, en revanche, se battent en duel hors scène (II, 2).

Entre 1630 et 1631, de nombreuses préfaces théâtrales sont publiées afin de définir de nouvelles normes dramaturgiques et esthétiques. Deux camps s'affrontent. D'un côté, la vieille école, soutenue par Alexandre Hardy ou André Mareschal[2], qui défendent un théâtre libre : absence de règles, effets spectaculaires sont les piliers d'une dramaturgie qui pourrait être qualifiée de « baroque ». De l'autre côté, les réformateurs comme Pierre du Ryer ou Jean Chapelain qui, à grand renfort de citations d'Aristote et d'Horace[3], défendent une conception plus policée du spectacle théâtral. Lois, unités, structure du texte fondent leur dramaturgie qui sera dite « classique ».

Le même mouvement d'épuration se fait jour dans le roman. Les romans de chevalerie, remis au goût du jour au début du siècle par *L'Amadis des Gaules*[4], cèdent le pas aux romans pastoraux. Bergers et bergères à la jeunesse et à la beauté éclatantes évoluent au sein d'intrigues sentimentales teintées d'idéalisme et de platonisme. *L'Astrée* d'Honoré d'Urfé[5], et son héros Céladon, sont érigés au rang de modèles : modèles littéraires certes, mais aussi et surtout modèles sociologiques, qui servent à éduquer la société. On apprend, dans les romans, l'art de bien vivre en société, l'art de bien converser, l'art de bien aimer. L'équilibre

---

1. Théophile de Viau, *Pyrame et Thisbé* (1621), Paris, Cicero éditeurs, 1995. \ **2.** De novembre 1630 à septembre 1631, de nombreux textes théoriques voient le jour. Se reporter par exemple à André Mareschal, préface de *La Généreuse Allemande* (1631) ; Jean Chapelain, Lettre du 29 novembre 1630 à Antoine Godeau ; Jean Mairet, préface de *La Silvanire* (1631). \ **3.** La *Poétique* d'Aristote et l'*Art poétique* d'Horace insistent sur la nécessité de la dimension morale du spectacle théâtral et invitent au respect de règles propres à chaque genre. \ **4.** *L'Amadis des Gaules* est l'un des plus célèbres romans chevaleresques espagnols de Garci Rodriguez de Montalvo, publié en 1508, et traduit en français par Nicolas Herberay des Essarts en 1540. \ **5.** Honoré d'Urfé, *L'Astrée* (1607-1627), Genève, Slatkine, 1966, 5 volumes.

et l'harmonie entendent triompher ; l'édifice classique a posé ses fondements. Les héros du *Cid* sont certes épiques mais plus qu'ils n'agissent, ils argumentent afin de faire triompher leur cause. Ainsi, Chimène préfère poursuivre Rodrigue et être sa « partie » plutôt que son « bourreau » (III, 4, v. 950). La violence est moins agie que verbalisée.

LE CONTEXTE BIOGRAPHIQUE : *LE CID*, OU LE TRIOMPHE D'UN AUTEUR

UN BOURGEOIS SANS HISTOIRE

Pierre Corneille naît en 1606 à Rouen, dans une famille de la bonne bourgeoisie. Son père est magistrat ; après avoir fait de brillantes études dans un collège jésuite, le jeune Corneille se lance à son tour dans des études de droit afin de devenir avocat. Il obtient son diplôme en 1624 mais, timide et peu doué pour l'éloquence, il renonce vite à plaider.

Dès 1629, il préfère écrire pour le théâtre. Il confie à une troupe du Marais, de passage à Rouen, une comédie, *Mélite*. Jouée à Paris, la pièce remporte un succès suffisant pour que le jeune avocat décide de se lancer pleinement dans la carrière littéraire.

LES PREMIERS SUCCÈS, LE TRIOMPHE DU *CID*

La tragi-comédie *Clitandre* (1631), puis les comédies *La Veuve* (1632) et *La Galerie du Palais* (1633), lui offrent l'estime du public parisien. En 1634, c'est au tour de *La Suivante* et de *La Place royale* de connaître un certain succès sur la scène parisienne. Voilà Corneille pensionné et enrôlé dans le groupe des cinq auteurs chargés d'écrire les comédies dont le cardinal de Richelieu, qui a une « passion [1] » pour le théâtre, invente le scénario. Une tragédie, *Médée*, est donnée au Marais en 1635. Corneille revient à la comédie en 1636 avec un « monstre » baroque, *L'Illusion comique*.

L'an 1637 voit le triomphe du *Cid* malgré la querelle que suscite la pièce [2]. Cette tragi-comédie est une œuvre de jeunesse, qui manifeste le panache

1. Paul Pellisson-Fontanier et Pierre-Joseph Thorellier d'Olivet, *Histoire de l'Académie française*, *op. cit.*, p. 81. \ 2. Voir p. 168 à 171.

et l'énergie d'un auteur âgé de trente ans, comme son héros. Le père de Corneille est anobli et le succès populaire est immense. Cependant, les attaques des doctes fusent. *Le Cid* est perçu comme une pièce irrégulière, qui se joue des règles. Scudéry en appelle au jugement de l'Académie, qui rend un verdict mitigé dans les *Sentiments de l'Académie française sur la tragi-comédie du « Cid »*. Corneille en est profondément affecté. Pendant deux ans, il garde le silence avant de revenir avec des tragédies – *Horace* (1640), *Cinna* (1642), *Polyeucte* (1642), *La Mort de Pompée* (1643) – et une comédie – *Le Menteur* (1643) – qui lui permettent de bénéficier à nouveau de l'approbation de ses pairs. En 1642, Richelieu meurt mais Mazarin continue de pensionner l'auteur.

L'OMBRE PORTÉE DE L'ÉCHEC

Corneille est au sommet de sa gloire, mais il connaît le goût de l'échec en 1646 avec *Théodore, vierge et martyre*, une tragédie chrétienne. Les embûches se multiplient : le dramaturge est certes reçu à l'Académie française en 1647 mais, en 1648, la Fronde éclate et retarde les représentations de plusieurs pièces.

En 1651, Corneille donne *Nicomède* : le succès public est éclatant mais le pouvoir prend ombrage de la pièce. En effet, il y voit un éloge des princes révoltés contre la couronne. L'auteur est privé de pension et connaît en plus l'échec en 1651 avec *Pertharite*. Entré en disgrâce, Corneille se retire de la scène et garde le silence pendant six ans (de 1652 à 1658) ; il se consacre durant ces années à une pieuse entreprise : la traduction de *L'Imitation de Jésus-Christ*.

LE RETOUR AU THÉÂTRE

En 1658, Nicolas Fouquet, mécène influent et fortuné, convainc Corneille de reprendre la plume. En 1659, l'auteur donne *Œdipe*. En 1660 paraît son *Théâtre*, avec les *Trois Discours sur l'art dramatique*. L'arrestation de Fouquet en 1661 prive Corneille d'un généreux protecteur mais Louis XIV pensionne l'artiste à partir de 1663. Installé à Paris, le dramaturge écrit *Sertorius* (1662), *Sophonisbe* (1663), *Othon* (1664). Il est porté aux nues, appelé le « Prince des auteurs de théâtre ». La reconnaissance est totale.

Mais un jeune auteur fait son apparition : Jean Racine, qui va bientô régner sur la scène littéraire. Corneille est vite obligé de constater qu les œuvres raciniennes plaisent plus, tandis que les siennes ne sou lèvent plus l'engouement du passé. Le duel des deux *Bérénice*, qui tourn à l'avantage de Racine en 1670, l'affecte. L'échec de *Suréna* en 1674 l conduit à se retirer définitivement de la scène, à l'âge de soixante-neu ans. Corneille meurt en 1684, à soixante-dix-huit ans.

LA RÉCEPTION DE LA PIÈCE

Le Cid de Corneille est aujourd'hui un classique, au sens premier d terme : la pièce est étudiée dans les classes. Pourtant, la tragi-coméd de Corneille a peiné à s'imposer en 1637.

ACCORDS ET DÉSACCORDS À L'ÂGE CLASSIQUE

La querelle du Cid *: « l'applaudissement et le blâme du* Cid [1] »

En janvier 1637, *Le Cid* de Pierre Corneille est donné au théâtre du Marai aujourd'hui situé rue Vieille-du-Temple, dans le 3e arrondissement par sien. Corneille est déjà un auteur sinon renommé, du moins reconn Pellisson dit qu'il est « un des premiers en ce genre d'écrire [le théâtre] [2] Montdory, directeur et acteur vedette de la troupe du Marais, endosse costume du jeune Rodrigue alors qu'il a quarante-six ans ; la Villiers jou Chimène et la Beauchâteau, l'infante. Immédiatement, la pièce est u triomphe public : tout Paris récite Corneille, tout Paris admire Rodrigu Corneille, enivré par le succès, commet alors une erreur : il fait publi un poème de cent quatre vers, rédigé dès 1633, l'« Excuse à Ariste », dan lequel résonne toute la fierté d'un jeune auteur conscient de sa valeur « J'arrache quelquefois trop d'applaudissements », proclame l'arrogan dramaturge ; ou encore : « Je ne dois qu'à moi seul toute ma renommée et « Je sais ce que je vaux ». Corneille affiche une fière confiance, que se contemporains, « jaloux » selon Pellisson [3], n'entendent pas support

1. Paul Pellisson-Fontanier et Pierre-Joseph Thorellier d'Olivet, *Histoire de l'Académie fra çaise*, *op. cit.*, p. 90. \ 2. *Ibid.*, p. 98. \ 3. *Ibid.*, p. 88.

Une querelle de doctes commence alors[1]. Dès 1631, dans sa préface à *La Silvanire*, Mairet avait théorisé les règles théâtrales. En mars 1637, il publie *L'Auteur du vrai Cid espagnol*, qui sera suivi de trois libelles et d'une « Épître familière », textes dans lesquels il accuse Corneille d'avoir plagié l'œuvre de l'Espagnol Guillén de Castro, et lance contre le dramaturge français des attaques mesquines. Le 1er avril, c'est au tour de Scudéry, pourtant ancien ami de Corneille, de se lancer dans la querelle. Le dramaturge publie ses *Observations sur « Le Cid »* et condamne sans appel la pièce de Corneille, en s'appuyant sur l'autorité du plus grand des « grands maîtres anciens[2] », Aristote. Contrairement à Mairet, Scudéry attaque, non pas l'auteur du *Cid*, mais la pièce elle-même au nom des « règles de l'art[3] ». Il entend prouver : « Que le sujet n'en vaut rien du tout./Qu'il choque les principales règles du poème dramatique; /[...] Qu'il y a beaucoup de méchants vers[4]. »

Quels reproches formule précisément le dramaturge ? Tout d'abord, selon lui, *Le Cid* fait fi des trois unités. Il rappelle qu'une pièce ne « doit avoir qu'une action principale », que la tragi-comédie de Corneille bafoue la règle « des vingt-quatre heures » et que l'action du *Cid* aurait déjà du mal à se dérouler dans les « vingt-quatre ans[5] ». De plus, pour Scudéry, la vraisemblance et la bienséance, piliers d'une esthétique classique naissante, ne sont pas respectées. Il « vaut mieux traiter un sujet vraisemblable qui ne soit pas vrai, qu'un vrai qui ne soit pas vraisemblable », tonne Scudéry ; la pièce « choque les bonnes mœurs », et n'est en cela pas conforme à la finalité morale du théâtre, qui doit « montrer sur scène la vertu récompensée, et le vice toujours puni[6] ». Les attaques se concentrent sur le personnage de Chimène, qualifiée de « fille dénaturée » ; enfin la versification n'est « point assez parfaite ». Et Scudéry de corriger de nombreux vers pour en évacuer le « galimatias[7] ».

Corneille ne peut plus rester muet et signe à la mi-mai 1637 une *Lettre apologétique*[8], directement adressée à Scudéry. Ce dernier ne supporte pas la verve cornélienne et décide d'en appeler au jugement de l'Académie française. Mais un problème se pose : pour que les doctes de l'Académie

---

1. Pour lire les textes publiés lors de la querelle du *Cid*, se reporter à Corneille, *Œuvres complètes*, Paris, Gallimard, coll. « Bibliothèque de la Pléiade », 1969, t. I. \ **2.** *Ibid.*, p. 784. \ **3.** *Ibid.* \ **4.** *Ibid.* \ **5.** *Ibid.*, p. 786. \ **6.** *Ibid.*, p. 785-786. \ **7.** *Ibid.*, p. 792. \ **8.** *Ibid.*, p. 800-803.

examinent un texte, il faut que son auteur soit d'accord. Dans un premier temps, Corneille refuse avec entêtement de soumettre son texte puis il finit par accepter. Il écrit à Boisrobert que ces « Messieurs de l'Académie peuvent faire ce qui leur plaira[1] ». Durant plusieurs mois (de juin à octobre 1637), Chapelain, grand théoricien des règles, et toute l'Académie avec lui, se penchent sur la tragi-comédie de Corneille. La querelle ne s'arrête pas pendant ce temps-là : les deux camps continuent de se battre. Des libelles, violemment hostiles à Corneille, circulent dans Paris tandis qu'en août, Guez de Balzac, auteur influent de l'époque, émet un avis favorable sur *Le Cid* dans une lettre qui est lue à l'Académie ; en septembre, dans l'« Épître dédicatoire » de la comédie *La Suivante*, Corneille proclame à nouveau que la principale règle est de « plaire ».

Le 26 novembre 1637, l'Académie rend enfin son verdict : l'éditeur parisien Jean Camusat publie les *Sentiments de l'Académie française sur la tragi-comédie du « Cid »*. Le jugement rendu est mitigé, pas franchement favorable à Corneille, pas franchement favorable non plus à Scudéry. L'Académie « s'imagine bien qu'elle n'a pas absolument satisfait, ni l'auteur dont elle marque les défauts, ni l'Observateur [Scudéry], dont elle n'approuve pas toutes les censures[2] ». Les académiciens reprennent une à une les attaques de Scudéry et en valident, ou non, la légitimité. Ils lavent Corneille du soupçon de plagiat mais approuvent les reproches de Scudéry sur l'infante « qui ne sert qu'à représenter une passion niaise, qui d'ailleurs est peu séante à une princesse », et sur la rencontre Rodrigue/Chimène au cinquième acte : « La première scène du cinquième acte nous semble très digne de censure parce que Rodrigue retourne chez Chimène » en plein jour. En revanche, les vers sont jugés de très haute qualité. Corneille, humilié, décide de ne pas répondre. Seul le succès public le console : « J'ai remporté le témoignage de l'excellence de ma pièce, par le grand nombre de ses représentations[3] », écrit-il.

Le dramaturge se mure dans le silence. Ce n'est qu'en 1640 qu'il donne une nouvelle œuvre, *Horace*, dont le cinquième acte crée, de nouveau,

1. Pierre Corneille, cité par Paul Pellisson-Fontanier et Pierre-Joseph Thorellier d'Olivet, *Histoire de l'Académie française*, *op. cit.*, p. 88. \ **2.** *Sentiments de l'Académie française sur la tragi-comédie du « Cid »*, cité dans Corneille, *Œuvres complètes*, Paris, Gallimard, coll. « Bibliothèque de la Pléiade », 1969, t. I, p. 783. \ **3.** Pierre Corneille, cité par Paul Pellisson-Fontanier et Pierre-Joseph Thorellier d'Olivet, *Histoire de l'Académie française*, *op. cit.*, p. 98.

la polémique. Mais la querelle du *Cid* n'est pas totalement enterrée : en 1648, Corneille propose une nouvelle édition de la pièce, qu'il a rebaptisée « tragédie », et la fait précéder d'un « Avertissement », dans lequel il montre que les condamnations de l'Académie ne sont pas fondées. En 1660, soit plus de vingt-cinq ans après les premières représentations du *Cid*, il signe un « Examen » de la pièce, dans lequel il fait quelques concessions aux doctes en reconnaissant des fautes contre la bienséance, notamment dans les scènes où Rodrigue rend visite à Chimène et dans le dénouement. D'heureux, le dénouement devient alors ouvert : le spectateur n'est plus sûr que Chimène épousera Rodrigue. C'est le dernier épisode d'une bataille contre les doctes, qui a profondément meurtri le jeune Corneille. Le dramaturge préférera toujours s'en remettre au jugement du public et n'entend se plier qu'à une règle : plaire. Boileau dira d'ailleurs : « En vain contre *Le Cid*, un ministre se ligue/Tout Paris pour Chimène a les yeux de Rodrigue/L'Académie encore a beau le censurer/Le public révolté s'obstine à l'admirer[1]. »

Sursauts de la fin de siècle et échos des Lumières

La deuxième moitié du XVIIe siècle juge de nouveau *Le Cid*. La pièce de Corneille va être au cœur de deux nouvelles querelles : celle de la moralité du théâtre, et celle des Anciens et des Modernes[2].

Tout d'abord, les contempteurs du théâtre, qui le jugent corrupteur, pensent que *Le Cid* est susceptible de pervertir les âmes car la pièce peint les passions de manière flamboyante et aimable. Bossuet, dans ses *Maximes et réflexions sur la comédie* (1694), affirme ainsi que Corneille propose une représentation débridée et nocive des passions et « qu'on aime Chimène, qu'on aime Rodrigue ».

Les Anciens et les Modernes se plaisent, quant à eux, à opposer Racine à Corneille. Les Modernes goûtent le sublime cornélien qui « élève l'âme » selon Saint-Évremond, tandis que les vers raciniens « gagne[nt]

1. Nicolas Boileau, « Neuvième Satire », *Les Premières Satires*, Genève, Slatkine, 1970, v. 231-234, p. 215. \ 2. Sur la querelle de la moralité du théâtre, voir Laurent Thirouin, *L'Aveuglement salutaire : réquisitoire contre le théâtre dans la France classique*, Paris, Champion, 1997. Sur la querelle des Anciens et des Modernes, voir Marc Fumaroli, « Les Abeilles et les Araignées », dans *La Querelle des Anciens et des Modernes*, Paris, Gallimard, coll. « Folio classiques », 2001.

l'esprit » ; pour eux, Corneille ne « souffre point d'égal[1] ». À l'inverse, le Anciens, comme La Bruyère, déplorent la vision idéalisée de la conditio humaine que Corneille propose et reprochent à l'anthropologie corne lienne de flatter la *libido dominandi*, c'est-à-dire l'orgueil. Dans le premi chapitre des *Caractères*, La Bruyère dresse un parallèle entre Corneill et Racine : « Celui-là [Corneille] peint les hommes comme ils devraie être ; celui-ci [Racine] tels qu'ils sont[2]. » De plus, La Bruyère et le Anciens n'apprécient pas le « style de déclamateur » de Corneille et pré fèrent la « simplicité » de Racine[3]. Le XVIIIe siècle retient essentielleme cette critique du style cornélien. Les Lumières jugent la tragi-comédi ostentatoire et dépourvue de naturel. Vauvenargues, dans ses *Réflexior critiques sur quelques poètes*, condamne un « discours fastueux et empha tique[4] ». De même, Voltaire consacre, dans ses *Commentaires su Corneille*, de nombreuses pages au *Cid* dont il critique le style. Le philo sophe des Lumières entreprend non seulement de corriger les vers corne liens qu'il juge mauvais mais condamne aussi l'emphase des sentiment Il manifeste en cela la préférence du XVIIIe siècle pour l'esprit et la sensi bilité au détriment de l'éloquence.

AU XIXe SIÈCLE : *LE CID* ROMANTIQUE

C'est le XIXe siècle qui va remettre *Le Cid* à l'honneur. Même si la pièc est celle qui est la plus représentée à la Comédie-Française a XVIIIe siècle (240 représentations entre 1710 et 1800), elle l'est peu pa rapport au XIXe siècle (541 représentations sont données entre 1800 e 1900). Victor Hugo, dans la préface de *Cromwell*[5] (1827), qualifie *Le Ci* de « merveille » et nomme Corneille « un génie tout moderne ».

Le personnage de Rodrigue correspond en effet parfaitement à la défi nition que le romantisme forge du héros : il est un être passionné, dor l'amour embrase le cœur. À l'image d'un Hernani ou d'un Ruy Bla Rodrigue idéalise la femme aimée et la place sur un piédestal. De plu Victor Hugo loue en Corneille un homme « nourri du Moyen Âge et c

---

1. Saint-Évremond, cité par Roger Le Brun, *Corneille devant trois siècles*, Genève, Slatkin 1971, p. 23. \ **2.** Jean de La Bruyère, *Caractères* (1688), I, 54, Paris, LGF, coll. « Le Livre d poche », 1995, p. 148. \ **3.** *Ibid.* \ **4.** Luc Clapiers de Vauvenargues, *Œuvres complètes*, Pari Alive, 1999, p. 205. \ **5.** Voir l'extrait p. 208-209.

l'Espagne ». Son goût de la « couleur locale », si chère à la dramaturgie romantique, ne pouvait que le séduire. Enfin, le théoricien romantique rend hommage au vers « libre et franc dans son allure » : l'emphase et l'éloquence flamboyantes des vers cornéliens sont réhabilitées. Refusant la « bégueulerie » d'une langue classique trop « accoutumée aux caresses de la périphrase », Hugo vante au contraire les « façons de dire crûment » de Corneille[1].

AU XXe SIÈCLE : COMÉDIENS ET METTEURS EN SCÈNE AU SERVICE DU *CID*

La pleine réhabilitation du *Cid* viendra des acteurs qui ont incarné le rôle de Rodrigue et des metteurs en scène qui se sont attachés à redonner vie à la tragi-comédie de Corneille. C'est tout d'abord l'interprétation de Mounet-Sully (1841-1916) qui rend son panache à Rodrigue. S'il incarne d'abord un Cid sombre et mélancolique, peu convaincant, le comédien corrige son jeu et son interprétation ; au fil des représentations, il s'améliore, jusqu'à redonner à Rodrigue toute l'énergie et la vigueur de sa jeunesse. En 1949, Julien Bertheau à la Comédie-Française confie, contrairement à une tradition qui faisait jouer Rodrigue et Chimène par des acteurs confirmés et vieillissants, les rôles de héros à deux jeunes comédiens : André Falcon est Rodrigue, Thérèse Marney, Chimène. Si leur interprétation ne convainc pas pleinement, un aspect fondamental de la pièce cornélienne est cependant mis en lumière : *Le Cid* est une œuvre de jeunesse, à laquelle il faut redonner toute sa fougue.

En 1951, Jean Vilar monte *Le Cid* à Avignon. Gérard Philippe incarne Rodrigue avec une perfection qui ne sera jamais dépassée. Robert Kemp, dans un article du *Monde* daté du 5 décembre 1959, écrit que Gérard Philippe campait un Rodrigue « dont la silhouette a[vait] le dessin haut et cambré d'un Mantegna ou d'un Vélasquez ». L'identification est totale : Gérard Philippe *est* le Cid. Plusieurs autres lectures et mises en scène ont depuis été proposées : Paul-Émile Deiber à la Comédie-Française (1966) choisit de mettre l'accent sur le contexte espagnol et moyenâgeux ; Roger Planchon à Villeurbanne en 1969 ou Gérard Desarthe à la maison de

1. Voir Victor Hugo, *Préface de Cromwell*, Larousse, coll. « Petits Classiques », 2001, p. 49 à 52.

la culture de Bobigny en 1988, font ressortir la veine comique et bouffonne du *Cid*.

En 1973, une expérience novatrice est tentée par Denis Llorca au théâtre de la Ville : le metteur en scène monte la pièce comme un film d'action. Des cascadeurs envahissent ainsi l'espace scénique lors du récit de la bataille contre les Maures : Llorca tire donc la pièce vers l'épique. D'autres metteurs en scène prennent des libertés avec le texte même. Denis Llorca fait apparaître un commentateur espagnol qui lit des passages de la pièce de Guillén de Castro ; Francis Huster au théâtre du Rond-Point en 1985 fait intervenir la voix de Corneille qui lit l'« Examen » de 1660, et invente un personnage de bâtarde. Enfin, Desarthe (Bobigny, 1988) choisit d'habiller les comédiens de costumes militaires et dresse un parallèle entre naissance de l'absolutisme et dangers du fascisme.

On voit donc que la tragi-comédie de Corneille n'a nullement perdu de sa vigueur et de son actualité. Les metteurs en scène contemporains s'emparent de la pièce (Brigitte Jaques-Wajeman a proposé en octobre 2005 une mise en scène du *Cid* à la Comédie-Française), comme les contemporains de Corneille : dès 1637, Chevreau proposait *La Suite et le Mariage du Cid*, Desfontaines signait *La Vraie Suite du Cid*.

D'autres arts se sont aussi saisis de l'intrigue cornélienne. L'opéra, tout d'abord : Haendel en 1708, Jean-Baptiste Stück en 1715, Léonardo Léo en 1727 ou encore Jules Massenet en 1885, ont chanté les exploits et les amours contrariées de Rodrigue et de Chimène. Le cinéma, ensuite : Anthony Mann tourne en 1961 un flamboyant et hollywoodien *Cid* avec Charlton Heston et Sophia Loren.

GROUPEMENT DE TEXTES : FIGURES HÉROÏQUES À L'ÂGE CLASSIQUE

Lisez l'ensemble des textes ci-dessous et répondez aux questions suivantes.

1. En quoi l'extrait de Corneille (texte 1) et celui de Molière (texte 2) illustrent-ils les textes théoriques de Bénichou (texte 4) et de Marie-Odile Sweetser (texte 5) ?

2. Dans le texte de Corneille (texte 1) et dans celui de Molière (texte 2), quelle image du sujet héroïque se dessine ? Quel est son rapport à l'autorité (du roi, du père) ?

3. À quelle date ont été rédigées les *Maximes* (texte 3) ? Quels changements politiques et idéologiques se sont opérés depuis les années 1630 ? En quoi les maximes de La Rochefoucauld marquent-elles un infléchissement de la définition du héros ?

4. Récapitulez, dans un développement synthétique, les principales caractéristiques du héros d'après les différents textes du corpus. Vous illustrerez votre propos par des citations précises tirées des textes du corpus et de la pièce du *Cid*.

EXTE 1 • Pierre Corneille, *Le Cid* (1637), acte IV, scène 3, v. 1315-1339

DON RODRIGUE

J'allais de tous côtés encourager les nôtres,
Faire avancer les uns, et soutenir les autres,
Ranger ceux qui venaient, les pousser à leur tour,
Et n'en pus rien savoir jusques au point du jour.
5 Mais enfin sa clarté montra notre avantage,
Le More vit sa perte et perdit le courage,
Et voyant un renfort qui nous vint secourir
Changea l'ardeur de vaincre à la peur de mourir.
Ils gagnent leurs vaisseaux, ils en coupent les chables,
10 Nous laissent pour Adieux des cris épouvantables,
Font retraite en tumulte, et sans considérer
Si leurs Rois avec eux ont pu se retirer.
Ainsi leur devoir cède à la frayeur plus forte,
Le flux les apporta, le reflux les remporte,
15 Cependant que leurs Rois engagés parmi nous,
Et quelque peu des leurs tous percés de nos coups,
Disputent vaillamment et vendent bien leur vie.
À se rendre moi-même en vain je les convie,
Le cimeterre au poing ils ne m'écoutent pas ;
20 Mais voyant à leurs pieds tomber tous leurs soldats,
Et que seuls désormais en vain ils se défendent,
Ils demandent le Chef, je me nomme, ils se rendent,

Je vous les envoyai tous deux en même temps,
Et le combat cessa faute de combattants.
25 C'est de cette façon que pour votre service…

TEXTE 2 • Molière, *Dom Juan* (1665), acte IV, scène 4

Dom Louis, père de Dom Juan, désapprouve le libertinage de son fils.

DOM LOUIS. – […] De quel œil, à votre avis, pensez-vous que je puisse voir cet amas d'actions indignes, dont on a peine, aux yeux du monde, d'adoucir le mauvais visage, cette suite continuelle de méchantes affaires, qui nous réduisent, à toutes heures, à lasser
5 les bontés du Souverain, et qui ont épuisé auprès de lui le mérite de mes services et le crédit de mes amis ? Ah ! quelle bassesse est la vôtre ! Ne rougissez-vous point de mériter si peu votre naissance ? Êtes-vous en droit, dites-moi, d'en tirer quelque vanité ? Et qu'avez-vous fait dans le monde pour être gentilhomme ?
10 Croyez-vous qu'il suffise d'en porter le nom et les armes, et que ce nous soit une gloire d'être sorti d'un sang noble lorsque nous vivons en infâmes ? Non, non, la naissance n'est rien où la vertu n'est pas. Aussi nous n'avons part à la gloire de nos ancêtres qu'autant que nous nous efforçons de leur ressembler ; et cet éclat de
15 leurs actions qu'ils répandent sur nous nous impose un engagement de leur faire le même honneur, de suivre les pas qu'ils nous tracent, et de ne point dégénérer de leurs vertus, si nous voulons être estimés leurs véritables descendants. Ainsi vous descendez en vain des aïeux dont vous êtes né : ils vous désavouent pour
20 leur sang, et tout ce qu'ils ont fait d'illustre ne vous donne aucun avantage ; au contraire, l'éclat n'en rejaillit sur vous qu'à votre déshonneur, et leur gloire est un flambeau qui éclaire aux yeux d'un chacun la honte de vos actions. Apprenez enfin qu'un gentilhomme qui vit mal est un monstre dans la nature, que la vertu
25 est le premier titre de noblesse, que je regarde bien moins au nom qu'on signe qu'aux actions qu'on fait, et que je ferais plus d'état du fils d'un crocheteur qui serait honnête homme que du fils d'un monarque qui vivrait comme vous.

XTE 3 • François de La Rochefoucauld, *Maximes* (1664)

Les *Maximes* sont un recueil d'aphorismes moraux, dans lequel La Rochefoucauld dévoile et démasque les vices humains.

MAXIME 215

La parfaite valeur et la poltronnerie complète sont deux extrémités où l'on arrive rarement. L'espace qui est entre-deux est vaste, et contient toutes les autres espèces de courage : il n'y a pas moins de différence entre elles qu'entre les visages et les humeurs. Il y a des
5 hommes qui s'exposent volontiers au commencement d'une action, et qui se relâchent et se rebutent aisément par sa durée. Il y en a qui sont contents quand ils ont satisfait à l'honneur du monde, et qui font fort peu de chose au-delà. On en voit qui ne sont pas toujours également maîtres de leur peur. D'autres se laissent quel-
10 quefois entraîner à des terreurs générales. D'autres vont à la charge parce qu'ils n'osent demeurer dans leurs postes. Il s'en trouve à qui l'habitude des moindres périls affermit le courage et les prépare à s'exposer à de plus grands. Il y en a qui sont braves à coups d'épée, et qui craignent les coups de mousquet ; d'autres sont assurés aux
15 coups de mousquet, et appréhendent de se battre à coups d'épée. Tous ces courages de différentes espèces conviennent en ce que la nuit augmentant la crainte et cachant les bonnes et les mauvaises actions, elle donne la liberté de se ménager. Il y a encore un autre ménagement plus général ; car on ne voit point d'homme qui fasse
20 tout ce qu'il serait capable de faire dans une occasion s'il était assuré d'en revenir. De sorte qu'il est visible que la crainte de la mort ôte quelque chose de la valeur.

XTE 4 • Paul Bénichou, *Morales du grand siècle* (1948)

Paris, Gallimard, coll. « Folio essais », 1988, p. 31-32

Paul Bénichou analyse ici *Le Cid* dans une perspective anthropologique : il s'inscrit en faux par rapport à une tradition critique qui fait du théâtre cornélien un théâtre contempteur des passions. Pour Bénichou, au contraire, *Le Cid* est un éloge de l'énergie et de la vitalité passionnelles, qui témoigne d'une conception optimiste et lumineuse de la nature humaine.

C'est un mouvement [le mouvement du sublime cornélien] dire
tement jailli de la nature, et qui pourtant la dépasse, une natu
supérieure à la simple nature. Nature par la démarche ouverte
l'ambition, que ne tempère aucune gêne, et plus que nature, p
la puissance que le moi s'attribue d'échapper à tout esclavage. I
vertu cornélienne est au point où le cri naturel de l'orgueil rencont
le sublime de la liberté. La grande âme est justement celle en q
cette rencontre s'opère.

Il est bon d'y insister : l'intelligence de la psychologie corn
lienne a été souvent faussée de nos jours par un emploi erroné d
concepts de volonté et de raison. Lanson, dans un article célèbre
a cru pouvoir conclure d'un rapprochement très judicieux d
théâtre cornélien avec le *Traité des passions* de Descartes [2], que
« générosité » se définissait également ici et là par le triomphe
la volonté et de la raison sur les passions. Mais cette conclusic
n'est possible que par un malentendu sur les notions que l'on ve
emprunter à Descartes, et qui ne sauraient aider à définir la conce
tion cornélienne du généreux qu'à condition d'être définies elle
mêmes. Lanson et avec lui la plupart des critiques donnent au m
volonté le sens qu'il a dans le langage moderne, naturelleme
influencé par les idées morales de la bourgeoisie conservatrice. I
entendent par volonté le pouvoir de se réprimer, de faire taire s
désirs. On trouverait malaisément chez Descartes un semblab
emploi de ce mot, qui désigne chez lui, tantôt le désir lui-mên
en tant qu'il porte à l'action, tantôt la faculté de donner suite da
l'action à un désir plutôt qu'à un autre, la « libre disposition d
volontés », le libre arbitre. Et la perfection morale paraît résid
justement dans une harmonie du désir et de la liberté : cet
harmonie se produit dans les âmes généreuses, du fait que le dés
s'y portant toujours vers des objets dignes de lui, n'aliène pas
liberté du moi, qui n'est qu'un autre nom de sa dignité.

1. Voir Gustave Lanson, « Le Héros cornélien et le "généreux" selon Descartes », *Rev
d'histoire littéraire de la France* (Paris), 1894. \ **2.** Voir René Descartes, *Traité des passio
de l'âme* (1649), article CLVI.

TEXTE 5 • Marie-Odile Sweetser, *La Dramaturgie de Corneille* (1977)

Genève, Droz, 1977, p. 114

Marie-Odile Sweetser propose une lecture sociologique et historique de la tragi-comédie cornélienne. Pour elle, *Le Cid* peint des métamorphoses, métamorphose de jeunes gens en héros, métamorphose de jeunes nobles en champions de l'absolutisme.

Les conflits personnels toutefois se trouvent projetés sur un plan plus vaste que dans les œuvres précédentes, historique et politique. L'ancienne noblesse féodale, représentée par les pères, est attachée au passé et à des valeurs qui sont en train de se transformer. 5 Rodrigue et Chimène qui représentent la nouvelle génération, acceptent en loyaux sujets la décision du roi qui prononce les derniers mots de la pièce et impose sa volonté : « Rex, lex », le droit divin des rois n'est pas une formule vide. Rodrigue et Chimène ont le devoir moral de se réconcilier sans arrière-pensée pour accom- 10 plir la volonté du roi qui est aussi celle de Dieu, pour assurer la grandeur de l'État et de la chrétienté. Car la victoire de Rodrigue est aussi celle de l'Occident chrétien. Au triomphe de l'amour s'ajoute donc celui d'un ordre politique, social et religieux. Corneille fait déboucher sa pièce sur une vision implicite et gran- 15 diose, reprise de façon plus explicite dans *Cinna* et dans *Polyeucte*.

L'ŒUVRE DANS UN GENRE

LE *CID* : UNE PIÈCE INCLASSABLE ?

UN TEXTE EN MOUVEMENT

De 1637 à 1660, Corneille ne cesse de retravailler *Le Cid*. En vingt ans (de 1637 à 1657), Corneille n'a modifié que 124 vers. C'est en 1660 que des changements profonds, qui portent essentiellement sur l'exposition, le dénouement et le personnage de Chimène, interviennent. Ainsi, en 1660, 324 vers ont été réécrits par rapport au texte de 1637. Si l'on compare la version de 1660 à celle de 1637, 448 vers ont donc été retravaillés, soit à peu près un quart de la pièce[1].

Ces mutations engendrent des problèmes de classification générique. Lors de sa création en 1637, la pièce est nommée « tragi-comédie ». Ce sous-titre demeurera jusqu'en 1646. En 1648, quand le dramaturge rouennais fait paraître ses œuvres, de « tragi-comédie », *Le Cid* est devenu « tragédie ». Cette modification générique laisse entendre que Corneille aurait modifié la structure et l'essence même de sa pièce.

Des problèmes de classification esthétique apparaissent également. Corneille signe en effet la première version du *Cid* en 1637, à une époque où l'esthétique classique tend à se codifier et à supplanter l'esthétique baroque, qui avait dominé tout le premier tiers du XVIIe siècle. Les modifications apportées de 1637 à 1660 tendent-elles donc à transformer une pièce baroque en pièce classique ?

LA VERSION DE 1637 : UNE TRAGI-COMÉDIE BAROQUE

Une tragi-comédie originale

La scène théâtrale, dans la décennie 1620-1630, est en crise : la comédie est souvent grossière, voire inconvenante. Turlupin, Gros-Guillaume,

1. Voir Georges Forestier, dans Pierre Corneille, *Le Cid, 1637-1660*, Paris, Société des textes français modernes, 1992, p. XXX.

Gaultier-Garguille triomphent sur les planches avec un humour farcesque pesant. La tragédie quant à elle ne séduit plus : à la manière d'un Robert Garnier, elle est jugée beaucoup trop didactique ; à la manière d'un Alexandre Hardy, elle est jugée d'une violence extrême et outrancière. La nouvelle génération de dramaturges des années 1630, composée de Mairet, du Ryer, Scudéry, Rotrou et Corneille, entend, pour plaire à un public dont le goût s'épure, rénover la scène théâtrale. Elle impose donc un genre moderne, où liberté, plaisir et mouvement, prédominent : celui de la tragi-comédie [1].

• Les conventions de la tragi-comédie dans *Le Cid*

Pour être à la mode, Corneille signe donc en 1637 avec *Le Cid* une tragi-comédie. Ce genre théâtral présente une « action souvent complexe, volontiers spectaculaire, parfois détendue par des intermèdes plaisants, où des personnages de rang princier voient leur amour ou leur raison de vivre mis en péril par des obstacles qui disparaîtront heureusement au dénouement [2] ». *Le Cid* répond bien à ces différents critères. Tout d'abord, l'intrigue se caractérise par un enchaînement rapide et multiple d'événements. Les pères se lancent un défi (I, 4) ; Rodrigue est soumis à plusieurs périls (le duel contre le comte, la guerre contre les Maures) ; Chimène est victime d'un piège (le roi lui fait croire que Rodrigue est mort à la guerre, IV, 5), puis d'un quiproquo (elle croit que don Sanche a emporté le duel qui l'opposait à Rodrigue, V, 5). L'intrigue du *Cid* est donc pour le moins complexe et pétrie de rebondissements. En témoigne Rodrigue, qui se métamorphose au fil des vers : jeune homme sans expérience (« Toi qu'on n'a jamais vu les armes à la main », II, 2, v. 410), il est, à la fin de la pièce, un héroïque chef de guerre (IV, 3, v. 1232).

Le spectaculaire, omniprésent dans les tragi-comédies, se retrouve dans *Le Cid*, tant au niveau visuel que verbal : don Diègue reçoit un soufflet dans le premier acte, Rodrigue exhibe son épée ensanglantée aux yeux de Chimène (III, 4, v. 868). Comme toute tragi-comédie, *Le Cid* mélange aussi les registres : à des accents comiques viennent se mêler des accents pathétiques ou tragiques. Ainsi, les stances (I, 7 et V, 2) manifestent une

---

1. Pour plus de détails sur la tragi-comédie, se référer à l'ouvrage de Roger Guichemerre, *La Tragi-comédie*, Paris, PUF, coll. « Littératures modernes », 1981. \ **2.** *Ibid.*, p. 15.

rhétorique pathétique tandis que le piège tendu par don Fernand à Chimène (IV, 4) relève du stratagème comique[1].

L'amour contrarié et la vengeance sont au cœur de la pièce. La nature de l'obstacle qui se dresse entre Rodrigue et Chimène et le dénouement n'ont rien d'original : aimer celui qui est jugé responsable de la mort du père est un des thèmes rois de la tragi-comédie[2] ; malgré cet obstacle, le mariage, même différé, de Rodrigue et Chimène, offre un dénouement heureux, conforme lui aussi aux codes tragi-comiques.

Enfin, Corneille puise son inspiration dans l'actualité récente et non dans l'Antiquité, environnement traditionnel de la tragédie. Sa source est espagnole : le dramaturge s'inspire en effet de Guillén de Castro et de sa pièce, *Las Mocedades del Cid* (1621), elle-même inspirée du *Poème du Cid* (XIIe siècle), qui faisait de Rodrigo Diaz de Bivar un héros épique, contraint d'épouser, sur ordre royal, la fille d'un grand seigneur qu'il avait tué. Dans son « Avertissement » de 1648, Corneille reconnaît ouvertement l'influence espagnole de Castro, qui mit « ce fameux événement sur le théâtre avant [lui][3] ». Intrigues embrouillées, recherche de l'effet, situations extrêmes et outrances, font du *Cid* une tragi-comédie tout à fait traditionnelle.

• Le dépassement de la tragi-comédie

Cependant, si *Le Cid* connaît un succès si considérable, c'est parce que Corneille ne se contente pas de mélanger les différents ingrédients constitutifs de la tragi-comédie. L'auteur rouennais pousse à l'extrême les situations du genre jusqu'à les renouveler. Ce qui fait l'originalité du *Cid*, c'est tout d'abord le primat du conflit intérieur sur le spectaculaire : Rodrigue exprime son hésitation entre amour et honneur (I, 7) tout comme l'infante dans les stances de la scène 2 de l'acte V. Par ailleurs, le duel entre Rodrigue et le comte n'est pas montré mais suggéré (II, 2), et la bataille contre les Maures (IV, 3) est racontée et non représentée. Si l'action prime dans *Le Cid*, elle est donc moins montrée que verbalisée.

---

1. Georges de Scudéry, dans ses *Observations sur « Le Cid »*, s'en offusque : « Le poète lui a ôté sa couronne [au roi] pour le coiffer d'une Marotte » (voir Pierre Corneille, *Œuvres complètes*, Paris, Gallimard, coll. « Bibliothèque de la Pléiade », 1969, t. I, p. 791). \ **2.** Voir, par exemple, Georges de Scudéry, *Le Prince déguisé* (1634). \ **3.** P. 126.

Le thème de l'amante ennemie, récurrent dans les tragi-comédies, es lui aussi renouvelé. D'habitude, le héros se déguise et masque son iden tité pour parvenir à dire son amour à sa bien-aimée. Corneille refuse l procédé de l'identité cachée pour préférer mettre en scène un confli frontal entre Rodrigue et Chimène. Il offre ainsi aux spectateurs des situa tions fortes, des affrontements passionnels intenses. Dernière origina lité cornélienne : le dénouement ne repose pas sur un coup de théâtr final. Pour lever l'obstacle et aboutir à un dénouement heureux, Corneill aurait pu imaginer que Chimène ne soit pas en fait la vraie fille du comte ou que ce dernier ne soit pas réellement mort ; mais de nouveau, l dramaturge refuse la facilité et opte pour un dénouement heureux, mai à venir. Corneille signe donc avec *Le Cid* le chef-d'œuvre de la tragi comédie car il en respecte les codes tout en les dépassant.

Un sublime baroque

En 1637, Corneille choisit l'éclat et le panache d'une dramaturgie et d'un rhétorique baroques. Le baroque, à l'origine, désigne une perle irrégu lière, mal taillée, et se définit comme une esthétique de la liberté, qu refuse règles et contraintes, pour préférer l'exubérance, le foisonnement l'éclat superbe.

• Éléments baroques dans *Le Cid*

Baroque, la pièce du *Cid* l'est car elle mêle, nous l'avons vu, registres e tons variés[1]. Baroque, la pièce l'est aussi par ses thèmes. Celui de l'illu sion côtoie celui du change et de l'inconstance. Don Fernand fait ains croire à Chimène que Rodrigue est mort (IV, 5, v. 1350) tandis que le intermittences du cœur de l'infante sont exhibées : en I, 3, l'infante di son amour pour Rodrigue ; en II, 3, elle décide de favoriser le mariag de Rodrigue et de Chimène ; en V, 2, elle regrette d'avoir offert Rodrigu à Chimène… Autre trait baroque : le triomphe de la sensualité et d l'amour charnel. Chimène est une fille qui aime, corps et âme. Ainsi, dan la scène de dénouement, elle parle de partager son « lit » avec Rodrigu (V, 7, v. 1834) ; si Chimène a un « cœur », elle a aussi un « flanc » (V, 5 v. 1734) qu'elle entend user pour venger son père.

1. Voir p. 183 à 186.

Dernier aspect baroque : la pièce du *Cid* exhibe une éthique et une rhétorique de la grandeur, du dépassement. Les héros sont des généreux, « naturellement porté[s] à faire de grandes choses », comme l'écrit Descartes dans son *Traité des passions de l'âme*[1]. Rodrigue et Chimène appartiennent à une « race » supérieure. Capables de sacrifier leur bonheur personnel au profit de l'honneur (voir I, 7 ou III, 4), ils aspirent à la gloire et refusent toute médiocrité. Dans son « Examen » de 1660, Corneille affirme que Chimène est « sensible à [d]es passions, qu'elle dompte sans les affaiblir, et à qui elle laisse toute leur force pour en triompher plus glorieusement[2] ».

• Une rhétorique enflammée

À cette éthique du panache correspond une rhétorique de l'éclat, caractéristique du discours baroque. Foisonnante, la parole cornélienne est placée sous le signe de la profusion. En témoigne la tentation du récit romanesque dans la relation de la victoire sur les Maures (IV, 3) : Rodrigue n'omet aucune étape du combat, comme le montre l'abondance des connecteurs temporels dans la tirade. Les images fusent (« ruisseaux de leur sang », v. 1301 ; « champs de carnage », v. 1310), les sens sont éveillés (« mille cris éclatants », v. 1294), le discours donne à voir le combat. De même, la parole héroïque est brillante : Rodrigue, loin de trembler devant le comte, assène des maximes péremptoires (« La valeur n'attend pas le nombre des années », II, 2, v. 408). En permanence, la rhétorique du *Cid* est enflammée et excessive : hyperboles (III, 4, v. 949), antithèses (III, 4, v. 900), stichomythies[3] (III, 4), longues tirades ou monologues avec anaphores (I, 5), interrogations oratoires (V, 2) et hypotypose[4] (IV, 3) rendent les vers flamboyants. Corneille vise une esthétique de l'éblouissement et de l'admiration. Le panache des différents protagonistes doit susciter une « curiosité merveilleuse[5] », un frémissement du spectateur qu'il ne faut cesser d'impressionner. La grandiloquence espagnole, le modèle du roman-fleuve héroïque, l'éthique de la gloire, inspirent à Corneille le chef-d'œuvre de la tragi-comédie, dominé par une dramaturgie baroque du sublime.

---

1. René Descartes, *Traité des passions de l'âme* (1649), article CLVI, Paris, Vrin, 1955, p. 179. \ **2.** P. 136. \ **3.** *Stichomythie :* échange où les interlocuteurs se répondent d'une façon symétrique, vers pour vers. Voir p. 194. \ **4.** *Hypotypose :* description animée. \ **5.** Pierre Corneille, « Examen » de 1660, p. 139.

DE 1637 À 1660 : MÉTAMORPHOSE DU *CID* EN TRAGÉDIE CLASSIQUE ?

Le renouveau du théâtre tragique au XVIIe siècle

Le puissant cardinal de Richelieu, amateur de théâtre, entend lui redonner ses lettres de noblesse. Pour cela, il offre aux artistes une reconnaissance sociale et les pensionne afin de stimuler la création [1]. Mais il entend régenter le renouveau théâtral en l'encadrant.

Le genre que le Cardinal veut voir renaître de ses cendres est celui de la tragédie. Sa politique de fermeté s'accommode en effet très bien d'un genre ancien, réputé noble, et très codifié. Différents théoriciens du théâtre vont s'appuyer sur des arts poétiques antiques, ceux d'Aristote et d'Horace notamment, pour édicter les règles tragiques. Ainsi à partir de 1640, sous l'impulsion de Chapelain et de Scudéry [2], un nouveau genre, la tragédie régulière, émerge et supplante la tragi-comédie, et une nouvelle esthétique tend à s'imposer : le classicisme.

Principes de la tragédie classique

Le classicisme est marqué par un retour à l'Antiquité et se définit par son aspiration à l'harmonie et à l'équilibre. Pour ce faire, il recourt à de nombreuses prescriptions théoriques. La tragédie classique répond à des règles et vise deux objectifs : plaire et instruire.

• Les règles classiques : unités, vraisemblance, bienséance

Les règles s'imposent progressivement dans les années 1630. La première, synthétisée *a posteriori* par Boileau, dans son *Art poétique*, est celle des trois unités :

> Qu'en un lieu, qu'en un jour, un seul fait accompli
> Tienne jusqu'à la fin le théâtre rempli [3].

La tragédie classique doit respecter l'unité de lieu (c'est-à-dire qu'elle doit se dérouler en un seul et même endroit, la plupart du temps l'antichambre d'un palais), l'unité de temps (l'action représentée est censée

1. Voir p. 166. \ 2. Voir par exemple Jean Chapelain, *Lettre sur la règle des vingt-quatre heures* (1630). \ 3. Nicolas Boileau, *Art poétique* (1674), chant III, v. 45-46.

durer vingt-quatre heures au maximum) et l'unité d'action ou unité de péril (l'intrigue est centrée sur un obstacle unique à surmonter).

De plus, la tragédie classique doit respecter la vraisemblance, concept forgé dès Aristote :

> Le rôle du poète est de dire non pas ce qui a réellement eu lieu mais ce à quoi on peut s'attendre, ce qui peut se produire conformément à la vraisemblance ou à la nécessité [1].

Si l'historien se doit de dire le vrai, le dramaturge, au contraire, se doit de mettre en scène une intrigue conforme à l'idée que le public se fait de la réalité.

Dernière règle : celle de la bienséance. Tandis que la vraisemblance constitue une « exigence intellectuelle », la bienséance constitue une « exigence morale » : « elle demande que la pièce de théâtre ne choque pas les goûts, les idées morales, ou [...] les préjugés du public [2]. » La question des bienséances concerne donc le problème de la représentation scénique de la violence (faut-il montrer les événements violents sur la scène ou les relater dans des récits ?) mais aussi la question de la représentation de la vie en ce qu'elle a de trivial. Ainsi, la vie physique (en particulier la vie sexuelle et donc le corps) et la vie matérielle (les nobles doivent être libérés des contingences pécuniaires) sont à bannir de la scène tragique. Respecter la bienséance, c'est aussi prêter aux différents protagonistes tragiques des actes et des paroles conformes à leur statut et à leur rang.

Il faut encore ajouter à cette liste de règles le fait que la tragédie doit être rigoureusement construite : exposition, nœud, dénouement en fondent l'architecture ; une tragédie se divise en cinq actes, et elle est écrite en alexandrins dans un seul et même registre.

- Les finalités de la tragédie classique

L'œuvre classique doit aussi répondre à deux finalités majeures : plaire et instruire. Instruire, c'est donner une leçon morale au spectateur. La question du plaire est plus ambiguë. Plaire, c'est flatter le goût du public

1. Aristote, *Poétique*, chapitre IX, 1451 *a*. \ **2.** Jacques Scherer, *La Dramaturgie classique en France*, Paris, Nizet, 1986, p. 38.

de l'époque. Mais qui est ce public ? Celui des doctes, qui jugent un
pièce à l'aune de sa conformité aux règles, ou celui des spectateurs, q
applaudissent ou s'ennuient lors d'une représentation théâtrale ?

De plus, conformément à la doctrine aristotélicienne de la *catharsis*,
tragédie doit assumer une fonction morale : le spectacle tragique do
soulager le spectateur de ses propres malheurs, et l'inciter à agir mora
lement et vertueusement.

Le Cid et les règles

Dès 1637, Corneille est confronté au problème des règles : le drama
turge réécrit-il *Le Cid* afin de respecter ces prescriptions classiques
Rappelons tout d'abord que Corneille a toujours préféré le jugement d
public à celui des doctes. C'est l'« applaudissement universel » et
« réception » de sa pièce qui l'intéressent[1]. Dans un premier temps,
dramaturge dédaigne les règles. Cependant, lors de la querelle du *Cid*
les *Sentiments de l'Académie française sur la tragi-comédie du « Cid*
donnent raison pour l'essentiel aux adversaires de Corneille : pour le
doctes, la pièce ne respecte ni la règle des trois unités, ni la vraisem
blance, ni les bienséances. Elle ne remplit pas même sa fonction catha
tique.

• La question des unités

Au fil du temps, soucieux de toujours plaire au public, Corneille va s
pencher sur cette question des règles et les appliquer ou non au *Cid*. L
dramaturge n'est pas favorable à une application étroite et stricte d
l'unité de lieu : « J'accorderais très volontiers que ce qu'on ferait passe
en une seule ville aurait l'unité de lieu[3]. » Dans *Le Cid*, l'unité de lie
n'est en effet pas respectée : « *La scène est à Séville* », indique le débu
du texte, mais la pièce multiplie ensuite les lieux (demeure de Chimène
I, 1 et 2 ; appartement de l'infante, I, 3 ; salle du conseil royal, II, 6)
L'unité de temps est elle aussi malmenée. Dans son *Discours de l*
tragédie en 1660, Corneille écrit :

1. Pierre Corneille, « À Madame de Combalet » (1637), p. 7. \ 2. Voir p. 168 à 171. \ 3. Pierr
Corneille, *Discours des trois unités*, dans *Œuvres complètes*, Paris, Le Seuil, col
« L'Intégrale », 1989, p. 844.

> Je ne pense pas que dans la comédie le poète ait cette liberté de presser l'action, par la nécessité de la réduire dans l'unité de jour[1].

Si le dramaturge accepte l'idée qu'il faut éviter une trop grande distorsion entre la durée de la représentation et celle de l'intrigue, il ne veut pas se plier de manière servile à l'unité de temps. *Le Cid* en est l'illustration. Il est difficile d'imaginer que toutes les péripéties relatées dans la pièce se concentrent sur vingt-quatre heures. À l'acte IV d'ailleurs, le roi lui-même s'étonne de l'enchaînement précipité des épisodes : « Sortir d'une bataille et combattre à l'instant ! » (IV, 5, v. 1457).

Corneille fait plus de cas en revanche de l'unité d'action et dit vouloir la respecter[2]. Toutefois, sa profession de foi reste quelque peu théorique. Rodrigue est en effet soumis à divers périls (duel contre le comte, guerre contre les Maures, duel contre don Sanche) ; deux intrigues amoureuses parallèles se développent (Rodrigue/Chimène ; infante/Rodrigue). Les trois unités sont donc malmenées dans *Le Cid*, dans la version de 1637 comme dans celle de 1660.

• La question de la vraisemblance

La question de la vraisemblance est tout aussi centrale. Corneille revendique d'abord le droit, contre les attaques de Scudéry[3] et les préceptes de l'abbé d'Aubignac, qui préfèrent la vraisemblance à la vérité et l'Histoire, de se conformer à la vérité historique. Dans son « Avertissement » de 1648, il rappelle sa source – Mariana, *Historia de España*, livre IX, chapitre 5 – et dit s'être appuyé sur l'« historien » pour écrire sa pièce. Pour Corneille,

> les grands sujets qui remuent fortement les passions, et en opposent l'impétuosité aux lois du devoir ou aux tendresses du sang, doivent toujours aller au-delà du vraisemblable[4].

Ces références lui permettent de justifier le dénouement de la version de 1637, violemment critiqué par les doctes. En effet, Scudéry reprochait à Corneille de clore sa pièce sur le mariage à venir entre Chimène et le meurtrier de son père[5] ; c'est pourtant ce qui s'est produit dans

---

1. Pierre Corneille, *Discours de la tragédie*, dans *Œuvres complètes*, *ibid.*, p. 840. \ **2.** *Ibid.*, p. 836. \ **3.** Voir p. 169-170. \ **4.** Pierre Corneille, *Discours de l'utilité et des parties du poème dramatique*, dans *Œuvres complètes*, Paris, Le Seuil, coll. « L'Intégrale », 1989, p. 822. \ **5.** Voir Georges de Scudéry, *Observations sur « Le Cid »*, *op. cit.*, p. 792.

l'Histoire, répond Corneille. Ce dernier accepte cependant de faire des concessions au fil du temps sur la vraisemblance. En 1660, il réécrit son exposition afin de la rendre plus crédible. En effet, dans la version de 1637, le père de Chimène, c'est-à-dire un grand seigneur, s'entretenait avec une suivante, conversation jugée peu crédible à l'époque. En 1660, Corneille fond les deux scènes initiales en une unique scène d'exposition afin d'éviter ce dialogue entre deux protagonistes de rangs si différents.

• La question de la bienséance

C'est à la règle de la bienséance que Corneille a été le plus sensible. Les modifications de 1660 sont à comprendre dans ce sens. L'ultime version du *Cid* rend ainsi le personnage de Chimène moins passionné, moins furieux, moins sensuel. Un exemple : en 1637, Chimène parlait du « lit » (V, 7, v. 1834) qu'elle devait partager avec Rodrigue ; en 1660, cette mention, jugée trop crue, a disparu. De même, le personnage de don Fernand subit des modifications éthiques importantes entre la version de 1637 et celle de 1660. Le roi, dans la scène 4 de l'acte IV de la version de 1637, demandait à don Diègue de « contrefai[re] le triste » (v. 1347) : ce stratagème avait été jugé digne d'un roi de comédie ; en 1660, pour rendre don Fernand plus royal et plus digne, Corneille écrit : « Montrez un œil plus triste ».

Toutefois, le dramaturge n'entend pas se plier servilement aux exigences de la bienséance. Dans son « Examen » de 1660, il concède que les « deux visites que Rodrigue fait à sa maîtresse » sont malséantes mais il ne les supprime pas car elles sont l'occasion de beaux dialogues[1]. De même, le dénouement de 1660 n'est pas radicalement différent de celui de 1637. Dans la version initiale, le mariage de Chimène et de Rodrigue était différé mais conclu ; en 1660, Chimène émet un doute sur la possibilité même d'épouser Rodrigue (« Pourrez-vous à vos yeux souffrir cet Hyménée ? ») mais la réponse du roi ne change pas (« Rodrigue t'a gagnée, et tu dois être à lui », v. 1841) : Chimène épousera Rodrigue. Par conséquent, les apparences sont sauves mais la bienséance reste fondamentalement bafouée.

1. Voir p. 138-139.

Corneille conserve aussi ses distances avec la *catharsis*. Dans son deuxième *Discours sur le poème dramatique*, il écrit : « [...] j'ai bien peur que le raisonnement d'Aristote sur ce point [celui de la *catharsis*] ne soit qu'une belle idée, qui n'ait jamais son effet dans la vérité[1]. » Pour Corneille, c'est le plaisir du public qui prime : il préfère produire admiration, « frémissement » ou « curiosité merveilleuse[2] », plutôt qu'une réflexion pédagogique et morale.

Le rapport de Corneille aux règles est donc pour le moins conflictuel : si le jeune dramaturge les dédaigne totalement en 1637, il cède plus tard, sur la bienséance notamment. Ce choix n'a finalement rien d'étonnant : les bienséances sont définies en fonction du goût public ; or, le dramaturge n'a cessé de proclamer sa volonté de plaire. Il respecte le public davantage qu'une règle établie par les doctes.

Bilan : Le Cid, *ou le « baroque dompté[3] »*

Les modifications apportées jusqu'en 1660 font-elles du *Cid* une tragédie classique ? Nous venons de voir que non. L'intrigue cornélienne, encore en 1660, reste conforme aux codes de la tragi-comédie. Si la pièce change de sous-titre générique dès 1648, ce n'est pas en raison des modifications apportées par Corneille, mais, selon la thèse de Georges Forestier, parce que « la théorie littéraire du temps et la pratique des auteurs avaient progressivement assimilé un genre à l'autre [la tragi-comédie à la tragédie] et vu dans la tragi-comédie une tragédie virtuelle[4] ». Nous suivons donc pleinement Georges Forestier quand il affirme que les « modifications n'affectent ni la structure formelle ni la structure de la fable. *Le Cid* demeure une tragi-comédie[5] ».

Quant au classicisme du *Cid*, nous avons noté que Corneille apportait à son texte quelques modifications qui avaient pour objectif d'en gommer les « aspérités et les irrégularités[6] » les plus marquantes. Mais si le baroque flamboyant de 1637 est dompté, il n'est nullement effacé au profit d'un classicisme régulier.

---

1. Pierre Corneille, *Discours sur le poème dramatique*, dans *Œuvres complètes*, Paris, Le Seuil, coll. « L'Intégrale », 1989, p. 825. \ **2.** Pierre Corneille, « Examen » de 1660, p. 139. \ **3.** L'expression est empruntée à Jean Rousset, *Forme et signification*, Paris, José Corti, 1962, p. 28. \ **4.** Georges Forestier, préface du *Cid, 1637-1660*, Paris, Société des textes français modernes, 1992, p. XVII. \ **5.** *Ibid.*, p. XXX. \ **6.** *Ibid.*, p. XXXI.

GROUPEMENT DE TEXTES : LES FORMES DU LANGAGE THÉÂTRAL DANS *LE CID*

Le texte théâtral est destiné à être vu plus qu'à être lu. Le dramaturge se doit d'écrire en vue de représenter une action sur scène. Par conséquent, toujours mû par le souci de la mise en scène et de la réception, il doit rechercher une écriture visuelle, une écriture spectaculaire. Recherche de l'effet et rhétorique efficace doivent s'allier.

TEXTE 6 • *Le Cid*, acte II, scène 1

Je l'avoue [...] n'en parlons plus.

> VERS 353-390, PAGES 31-33

La double énonciation

Au théâtre, le schéma de communication est double : tout personnage sur scène s'adresse à un autre personnage présent, mais la communication s'établit aussi entre l'auteur et le public. Pierre Larthomas écrit : « chaque réplique [...] a une valeur double : elle est apparemment dite pour un des interlocuteurs qu'elle doit renseigner, questionner, indigner, séduire, etc., mais en réalité pour des auditeurs silencieux qu'elle feint d'ignorer[1]. »

1. Montrez l'importance de la double énonciation dans cette scène.

TEXTE 7 • *Le Cid*, acte II, scène 2

À moi, Comte [...] sans t'émouvoir.

> VERS 399-406, PAGES 34-35

La stichomythie

À l'opposé du monologue ou de la tirade, les stichomythies sont des répliques très brèves échangées entre deux protagonistes. Elles se réduisent à un ou deux vers le plus souvent même si le procédé peut s'étirer jusqu'à quatre vers. Ce procédé rythme et accélère le dialogue, souvent pour souligner la tension qui règne entre les protagonistes.

1. Pierre Larthomas, *Le Langage dramatique, sa nature, ses procédés*, Paris, PUF, 2001, p. 436-437.

1. Quel est le registre qui domine ces stichomythies ?

2. Dans quel état d'esprit sont les deux protagonistes ?

EXTE 8 • *Le Cid*, acte I, scène 7

Percé jusques au fond du cœur [...] père de Chimène.

> VERS 293-352, PAGES 27-29

EXTE 9 • *Le Cid*, acte V, scène 2

T'écouterai-je encor [...] deux ennemis.

> VERS 1575-1606, PAGES 97-98

Les stances

Les stances sont des monologues en strophes lyriques de composition régulière. Elles permettent aux personnages de dévoiler leur intériorité mais sont aussi des morceaux de bravoure poétique.

1. Quel est le registre qui apparaît dans les stances de ces deux scènes ?

2. Quelle est la fonction de ces stances ? Font-elles progresser l'action ou se contentent-elles d'exhiber l'intériorité des personnages ?

3. Établissez l'appartenance des stances de Rodrigue (I, 7) au genre délibératif.

4. Montrez que la rhétorique déployée dans les stances de ces deux scènes est efficace.

XTE 10 • *Le Cid*, acte II, scène 1

Mais songez que les Rois veulent être absolus.

> VERS 389, PAGE 33

XTE 11 • *Le Cid*, acte II, scène 2

mais aux âmes bien nées [...] nombre des années.

> VERS 407-408, PAGE 35

TEXTE 12 • *Le Cid*, acte IV, scène 3

Et lorsque la valeur [...] si rares succès.

> VERS 1249-1250, PAGE 8

La sentence

Les sentences allient brio rhétorique et éclat moral. Proches de maximes, elles sont des formules générales, qui livrent un message éthique et véhiculent des valeurs universelles. Corneille goûte l'usage des sentences et note, dans son *Discours de l'utilité et des parties du poème dramatique* (1660), que la fonction première du théâtre « consiste aux sentences et instructions morales qu'on peut y semer presque partout[1] ».

1. Définissez les caractéristiques rhétoriques de la sentence. Quelles en sont les fonctions ?

2. Quelles sont les valeurs véhiculées par ces sentences ?

3. L'usage de la sentence relève-t-il d'une esthétique baroque ou classique ?

TEXTE 13 • *Le Cid*, acte IV, scène 4

Sire, Chimène [...] le triste.

> VERS 1340-1347, PAGES 85-86

TEXTE 14 • *Le Cid*, acte III, scène 4

Eh bien, [...] teinture du tien.

> VERS 859-874, PAGES 61-63

TEXTE 15 • *Le Cid*, acte I, scène 5

Ô rage, [...] sur son front.

> VERS 235-262, PAGES 23-24

1. Pierre Corneille, *Discours de l'utilité et des parties du poème dramatique*, *op. cit.*, p. 822.

TEXTE 16 • *Le Cid,* acte III, scène 4

Mais il me faut […] un coup si beau.

> VERS 933-949, PAGES 65-66

Le mélange des registres et la présence du baroque

Divers registres apparaissent dans *Le Cid* : pathétique, tragique, comique, polémique. Ce mélange des tons, propre à la dramaturgie baroque, sera banni de l'esthétique classique en quête de pureté et de simplicité. Par ailleurs, l'esthétique baroque prône actions et paroles éclatantes.

1. Identifiez le registre dominant de chacun de ces extraits.

2. Dans la scène 4 de l'acte IV, peut-on dire que le personnage de don Fernand est conforme aux codes du personnage royal ? En quoi cette scène peut-elle choquer la bienséance ?

3. Le monde baroque est un univers dans lequel l'inconstance, le change, l'illusion triomphent. Montrez que ces différents extraits illustrent cette esthétique.

4. Dans la scène 4 de l'acte III, montrez que Chimène et Rodrigue manifestent une grandeur morale exceptionnelle. En quoi peut-on parler d'émulation héroïque ?

VERS L'ÉPREUVE

ARGUMENTER, COMMENTER, RÉDIGER

L'étude de l'argumentation dans l'œuvre intégrale privilégie deux objets :

■ L'argumentation dans l'œuvre. *Chaque genre littéraire, chaque œuvre intégrale exprime un point de vue sur le monde. Un roman, une pièce de théâtre, un recueil de poésies peuvent défendre des thèses à caractère esthétique, politique, social, philosophique, religieux, etc. Ordonner les épisodes d'une œuvre intégrale, élaborer le système des personnages, recourir à tel ou tel procédé de style, c'est aussi, pour un auteur, se donner les moyens d'imposer un point de vue ou d'en combattre d'autres. Ce premier aspect est étudié dans une présentation synthétique adaptée à la particularité de l'œuvre étudiée.*

■ L'argumentation sur l'œuvre. *Après publication, les œuvres suscitent des sentiments qui s'expriment dans des lettres, des articles de presse, des ouvrages savants… Chaque réaction exprime donc un point de vue sur l'œuvre, loue ses qualités, blâme ses défauts ou ses excès, éclaire ses enjeux. Une série d'exercices permet d'analyser des réactions publiées à différentes époques, dans lesquelles les lecteurs de l'œuvre, à leur tour, entendent faire partager leurs enthousiasmes, leurs doutes ou leurs réserves.*

Quelle vision du monde, quelles valeurs une œuvre véhicule-t-elle, et comment se donne-t-elle les moyens de les diffuser ? Quelles réactions a-t-elle suscitées, et comment les lecteurs successifs ont-ils voulu imposer leur point de vue ? L'étude de l'argumentation dans l'œuvre et à propos de l'œuvre permet de répondre à cette double série de questions.

L'ARGUMENTATION DANS *LE CID*

Aristote, dans sa *Poétique*, affirmait que tous les spectacles étaient « d'une manière générale, des imitations[1] » : l'essence du théâtre est donc de représenter, devant des spectateurs, les actions des hommes.

1. Aristote, *Poétique*, chapitre I, 1447 *a*.

Mais dans quel but ? Avec sa tragi-comédie, Corneille cherche-t-il seulement à plaire, à divertir ? Ou la pièce est-elle aussi porteuse d'un sens et d'une leçon qu'il faudrait délivrer au spectateur ? Cherche-t-elle à inculquer des valeurs ? Il convient donc de s'interroger sur les présupposés et orientations idéologiques, moraux ou politiques à l'œuvre dans *Le Cid*.

UNE PIÈCE D'INSOUMIS

Corneille ne s'intéresse, d'un point de vue théorique, à la finalité du théâtre qu'à partir de 1648 et surtout à partir de 1660, avec la publication du *Discours de l'utilité et des parties du poème dramatique*, qu'il place en tête de ses *Œuvres complètes*. Auparavant, nulle règle, sauf celle de plaire, ne régente son écriture. Dans un avis « Au lecteur » de 1644, il écrit : « Je ne m'étendrai point à vous spécifier quelles règles j'y ai observées [1]. » C'est dire combien, au moment de l'écriture du *Cid* en 1636, Corneille ne se soucie que du « seul plaisir du spectateur [2] ». Ainsi, il fait fi de l'autorité des doctes : nul paratexte dans lequel Aristote ou Horace et leurs arts poétiques seraient évoqués ; dans sa dédicace « À Madame de Combalet », qui sera supprimée en 1660, le dramaturge n'évoque que le « plaisir » et l'agrément produits par la tragi-comédie sur la nièce de Richelieu [3].

Les héros du *Cid* manifestent eux aussi une insoumission face à leurs pairs. À la liberté esthétique revendiquée par Corneille répond donc la liberté éthique du couple héroïque dans *Le Cid*. La tragi-comédie peut se lire comme un éloge de la liberté, un hymne à l'indépendance. Le couple héroïque Rodrigue/Chimène mène une fronde contre l'ordre établi. Tous deux remplis de jeunesse et de vitalité (« Je suis jeune, il est vrai, mais aux âmes bien nées/La valeur n'attend pas le nombre des années », II, 2, v. 407-408), ils veulent gagner leur indépendance. Rodrigue s'insurge contre les valeurs de son père, qui place l'amour au-

1. Pierre Corneille, « Au lecteur » (1644), dans *Œuvres complètes*, Paris, Le Seuil, coll. « L'Intégrale », 1989, p. 819. \ 2. Pierre Corneille, *Discours de l'utilité et des parties du poème dramatique* (1660), *op. cit.*, p. 821. \ 3. Corneille, dans une lettre à Boisrobert, affirme également : « J'ai fait *Le Cid* pour me divertir, et pour le divertissement des honnêtes gens, qui se plaisent à la comédie » (cité par Georges Couton, dans Pierre Corneille, *Œuvres complètes*, Paris, Gallimard, coll. « Bibliothèque de la Pléiade », 1969, t. I, p. 805).

dessous de l'honneur : « Nous n'avons qu'un honneur, il est tant de maîtresses ;/L'amour n'est qu'un plaisir, et l'honneur un devoir » (III, 6, v. 1068-1069). Le Cid donne au contraire à la passion amoureuse et à la dame une place aussi centrale que celle de la lignée et de la renommée (« Je dois à ma maîtresse aussi bien qu'à mon père », I, 7, v. 324). Chimène arbore, quant à elle, une attitude frondeuse face au roi don Fernand. Alors que ce dernier veut imposer sa loi et bannir les « vieille[s] coutume[s] » (IV, 5, v. 1416), la jeune fille défie l'autorité royale en souhaitant que Rodrigue meure « pour [s]on père, et non pour la patrie » (IV, 5, v. 1375). Malgré les remontrances du roi (« Ma fille, ces transports ont trop de violence », IV, 5, v. 1395), Chimène, jalouse de son honneur personnel, refuse de renoncer à poursuivre le Cid. Désir d'autonomie et de singularisation ponctuent donc les répliques des jeunes premiers de la pièce, qui laissent éclater leur orgueil et leurs rêves de révolte. Ils n'entendent plier sous aucune loi. On comprend pourquoi Paul Pellisson a pu écrire, comme en témoigne Fontenelle dans sa *Vie de Corneille* (1685) : « Quand *Le Cid* parut, il [le cardinal de Richelieu] fut aussi alarmé que s'il avait vu les Espagnols devant Paris. Il souleva les auteurs contre cet ouvrage [...], et il se mit à leur tête[1]. »

Le Cid est bien, comme *L'Illusion comique*, un « monstre[2] » : monstrueuse, la pièce l'est car elle refuse de s'inscrire dans les codes esthétiques et moraux de l'époque ; monstrueuse, la pièce l'est aussi car ses héros refusent d'être asservis. Ce refus de la règle peut être compris comme un acte politique : Corneille, à l'image de ses protagonistes, manifeste un esprit frondeur et une soif d'autonomie. Véritable hymne à la liberté, la tragi-comédie du *Cid*, dans cette perspective, n'est décidément pas une œuvre de courtisan[3].

UNE PIÈCE ÉDIFIANTE

Cependant, une autre finalité de la pièce peut être dégagée. Si Corneille ne l'affiche pas clairement dès 1637, elle est de plus en plus présente

1. Paul Pellisson-Fontanier, cité par Bernard de Bovier de Fontenelle, *Vie de monsieur Corneille*, dans *Œuvres complètes*, Paris, Fayard, 1989, t. III, p. 94. \ **2.** Préface de *L'Illusion comique* (1636), dans Pierre Corneille, *Œuvres complètes*, Paris, Le Seuil, coll. « L'Intégrale », 1989, p. 193. \ **3.** En 1644, dans son avis « Au lecteur », Corneille affirmait : « [...] Dieu m'a fait naître mauvais courtisan » (*op. cit.*, p. 819).

dans le paratexte qui accompagne *Le Cid* et les œuvres cornéliennes entre 1648 et 1660. Dans son *Discours de l'utilité et des parties du poème dramatique* (1660), le dramaturge assigne en effet au spectacle théâtral le but de « profiter aussi bien que plaire ». La finalité du théâtre est donc morale : il s'agit de donner une leçon au spectateur afin de le rendre plus vertueux. En pleine querelle de la moralité du théâtre[1], Corneille doit, au fil des années, travailler à légitimer son entreprise littéraire pour en souligner l'utilité. La finalité didactique et pédagogique du discours théâtral se lit dans le recours à l'Histoire et à la rhétorique de la sentence dans *Le Cid*. N'oublions pas que Corneille a été éduqué par les Jésuites. Ces derniers conçoivent l'Histoire comme un réservoir d'exemples moraux. Les hauts faits des grands hommes doivent être enseignés aux élèves pour leur communiquer l'amour de la vertu et l'horreur du vice[2]. Corneille, dans *Le Cid*, s'inspire précisément d'un fait historique : comme il le rappelle dans son « Avertissement » de 1648, il s'est appuyé sur l'*Historia de España* de Mariana. Il veut raconter dans sa pièce un « fameux événement », montrer des personnages aux « belles qualités » et il appelle Chimène une « héroïne ». Selon le mot de La Rochefoucauld dans ses *Maximes*, pour Corneille, « rien n'est si contagieux que l'exemple ». Et le dramaturge d'attendre donc que « nous imit[i]ons les bonnes actions par émulation[3] ».

La rhétorique de la sentence favorise la mémorisation de préceptes moraux, aptes à rendre les âmes meilleures. *Le Cid* utilise ce procédé de

---

1. La querelle de la moralité du théâtre oppose, à partir des années 1630 et jusqu'à la toute fin du siècle, partisans et contempteurs du théâtre. D'un côté, les partisans du spectacle théâtral affirment que le théâtre peut être une école de vertu, que le spectacle théâtral offre une leçon morale en action, vivante et donc apte à être mieux retenue par le public. Parmi ces partisans, on compte Corneille et Racine. Dans le camp adverse, les contempteurs du spectacle théâtral, influencés par une doctrine chrétienne rigoriste qui bannit les divertissements et l'amour, défendent l'idée que le spectacle théâtral corrompt les âmes. En effet, en représentant des passions mauvaises sur scène, le dramaturge peint aux spectateurs le vice avec des couleurs charmantes. Pascal et Bossuet seront deux grands adversaires du spectacle théâtral. Pour plus de détails sur cette querelle de la moralité du théâtre, se reporter à l'ouvrage de Laurent Thirouin, *L'Aveuglement salutaire : réquisitoire contre le théâtre dans la France classique*, *op. cit.* \ **2.** Pour plus de détails sur l'enseignement de l'Histoire au XVIIe siècle, voir Annie Bruter, *L'Histoire enseignée au grand siècle : naissance d'une pédagogie*, Paris, Belin, 1997. \ **3.** François de La Rochefoucauld, *Maximes* (1664), maxime 230.

manière abondante[1] : « Quand le bras a failli l'on en punit la tête » (II, 7, v. 732) proclame don Diègue, comme don Arias peut clamer que « Jamais à son sujet un Roi n'est redevable » (II, 1, v. 372[2]). L'usage du présent de vérité générale, de déterminants à valeur généralisante et d'effets rythmiques offrent aux sentences une rhétorique efficace, au service de l'instruction morale. Quelle serait donc la leçon à retenir dans *Le Cid* ? Les sentences écrivent le manuel du parfait héros : le spectateur apprend que faire son devoir et honorer ses pères sont des impératifs moraux catégoriques et que l'amour est une valeur suprême. La tragi-comédie, « inventé[e] pour instruire "doit" montrer sur la Scène la vertu récompensée, et le vice toujours puni[3] ». Elle est dès lors une invitation à l'émulation héroïque.

UNE ŒUVRE DE PROPAGANDE ?

Une ultime hypothèse de lecture du *Cid* peut être proposée : reflet des mutations de l'institution royale dans les années 1630, l'œuvre cornélienne porte un message politique. Il faut se souvenir que Richelieu a pour ambition de faire du théâtre un outil politique. Protecteur des artistes, il les pensionne, crée l'Académie française pour utiliser les talents, en vue de célébrer l'absolutisme et le roi. Pour mettre en place sa propagande culturelle, le puissant Cardinal, amateur de théâtre, réunit cinq auteurs, chargés de composer des pièces dont lui-même conçoit les intrigues. Nombre de ces canevas, mis en vers par les auteurs, mettent en scène l'affrontement entre des individus et l'État[4]. C'est le cas du *Cid* de Corneille.

Le roi, don Fernand, est invité par Chimène à exercer son autorité judiciaire (« Elle [Chimène] vient toute en pleurs vous demander justice », II, 6, v. 643) afin de régler un conflit privé. Si la dimension politique du message de la tragi-comédie semble incontestable, son sens peut apparaître brouillé : plusieurs lectures s'avèrent possibles. On a vu précédemment

1. Dans son *Discours de l'utilité et des parties du poème dramatique*, Corneille dit goûter le genre théâtral car on peut « semer presque partout » des « sentences et des instructions morales » (*op. cit.*, p. 822). \ 2. De nombreuses autres occurrences pourraient être citées : v. 436, 485, 1249-1250… \ 3. Georges de Scudéry, *Observations sur « Le Cid »*, *op. cit.*, p. 787. \ 4. Voir par exemple, Mairet, *La Sophonisbe* (1634) ; Scudéry, *La Mort de César* (1635) ; Tristan l'Hermite, *La Marianne* (1636).

que *Le Cid* pouvait apparaître comme une œuvre frondeuse[1], mais il sembl[e] plus judicieux de lire dans les vers de Corneille une apologie du pouvoi[r] absolu naissant. *Le Cid* met ainsi en scène la mort de l'ancienne noblesse acquise aux valeurs féodales, et la naissance, à travers Rodrigue e[t] Chimène, d'une noblesse au service du pouvoir royal. Force est de constate[r] que le comte meurt, que don Diègue joue un rôle mineur après le deuxièm[e] acte tandis que Rodrigue repousse les Maures « pour [le] service [du roi] » (IV, 3, v. 1339). Le Cid est couronné de lauriers, et Chimène se soumet a[u] verdict royal dans le dénouement (« Et vous êtes mon Roi, je vous doi[s] obéir », V, 7, v. 1830). Enfin, la pièce se clôt sur le substantif « Roi » (V, 7 v. 1866), qui rime avec « toi » désignant Rodrigue. Les deux termes ne son[t] plus à lire dans un rapport antagoniste mais dans un rapport vertical : l[e] « moi » s'agenouille devant l'autorité du roi.

Œuvre fondamentalement ouverte, la tragi-comédie cornélienne offr[e] donc un message sinon brouillé, du moins multiple. *Le Cid* est bien un[e] grande œuvre, qui invite sans cesse à déplier les replis du sens.

GROUPEMENT DE TEXTES : JUGEMENTS CRITIQUES

Dès les premières représentations, *Le Cid* a suscité de vives réactions e[t] déclenché une querelle. Lisez les jugements suivants, émis à différente[s] époques, et répondez aux questions posées.

TEXTE 17 • Baltazar de La Verdad, extrait d'un rondeau (1637)

On lira ci-dessous les quatre derniers sizains d'un rondeau[2] composé après la représentation du *Cid* (1637). Ce rondeau, signé d'un pseudo-auteur espagnol, Baltazar de La Verdad (*verdad* signifie « vérité » en espagnol) a été attribué à Mairet, ennemi de Corneille et de son *Cid* dans la querelle.

1. Plusieurs éléments rendent cette interprétation tenable : la France est en guerre contre l'Espagne et Corneille choisit de relater les exploits d'un héros espagnol ; Richelieu promeut des décrets pour interdire le duel, Rodrigue tue le père de Chimène en duel ; le roi veut affirmer son autorité et domestiquer une noblesse turbulente, Chimène ne cesse de contester les décisions royales et désobéit. Voir p. 202-203. \ 2. *Rondeau :* forme poétique du Moyen Âge (reprise et transformée au XVIIe siècle) qui se caractérise par la répétition de certains vers.

Je crois que ce sujet éclatant sur la scène
Puisqu'il ravit le Tage a pu ravir la Seine,
Mais il ne fallait pas en offenser l'auteur
Et par une impudence en orgueil confirmée
5 Assurer d'un langage aussi vain qu'imposteur
Que tu dois à toi seul toute ta Renommée[1].

Tu ne dois te vanter en ce fameux ouvrage
Que d'un vers assez faible en ton propre langage,
Qui par ton ignorance ôte l'honneur au mien,
10 Tant sa force et sa grâce en est mal exprimée.
Cependant orgueilleux et riche de mon bien
Tu dis que ton mérite a fait ta Renommée.

Bien, bien, j'irai paraître avec toute assurance
Parmi les courtisans et le peuple de France,
15 Avec un privilège et passeport du Roi,
Alors ma propre gloire, en ta langue imprimée,
Découvrira ta honte et mon Cid fera foi
Que le tien lui devait toute sa Renommée.

Donc fier de mon plumage, en Corneille d'Horace,
20 Ne prétends plus voler plus haut que le Parnasse.
Ingrat, rends-moi mon Cid jusques au dernier mot,
Après tu connaîtras, Corneille déplumée,
Que l'esprit le plus vain est souvent le plus sot
Et qu'enfin tu me dois toute ta Renommée.

EXTE 18 • Pierre Corneille, rondeau (1637)

Corneille a rédigé ce rondeau en réponse à Baltazar de La Verdad.

Qu'il fasse mieux, ce jeune jouvencel,
À qui *Le Cid* donne tant de martel,
Que d'entasser injure sur injure,

1. L'auteur fait ici référence à un des vers de l'« Excuse à Ariste », publiée par Corneille quelques semaines auparavant, dans laquelle il affirmait : « Je ne dois qu'à moi seul toute ma renommée. »

Rimer de rage une lourde imposture,
5 Et se cacher ainsi qu'un criminel.

Chacun connaît son jaloux naturel,
Le montre au doigt comme un fou solennel,
Et ne croit pas, en sa bonne écriture,
Qu'il fasse mieux.

10 Paris entier, ayant lu son cartel,
L'envoie au Diable, et sa Muse au Bordel,
Moi j'ai pitié des peines qu'il endure,
Et comme ami je le prie et conjure,
S'il veut ternir un ouvrage immortel,
15 Qu'il fasse mieux.

Omnibus invideas, livide, nemo tibi[1].

1. En quoi les textes 17 et 18 se répondent-ils ? Quelles sont les deux thèses en présence ? Quels sont les arguments de chacun des deux camps ?

2. À partir de l'étude du lexique, des pronoms personnels et des temps et modes verbaux, vous définirez le registre commun aux deux rondeaux et vous montrerez comment le blâme s'y exprime.

3. Sur quel terrain se situent les attaques portées par les deux auteurs ? Qu'en pensez-vous ?

TEXTE 19 • Victor Hugo, préface de *Cromwell* (1827)

Dans cet art poétique romantique, Victor Hugo fait un vibrant éloge de la dramaturgie cornélienne, qu'il reconnaît, à l'instar de celle de Shakespeare, comme un modèle et une source d'inspiration pour la génération romantique.

Il faut voir comme Pierre Corneille, harcelé à son début pour sa merveille du *Cid*, se débat sous Mairet, Claveret[2], d'Aubignac et Scudéry ! comme il dénonce à la postérité les violences de ces hommes qui, dit-il, se font *tout blancs d'Aristote* ! Il faut voir comme
5 on lui dit, et nous citons des textes du temps : « Jeune homme, il

1. « Tu peux envier tout le monde, bilieux personnage ; personne ne t'envie toi » (Martial, *Épigrammes*, I, 41). \ 2. Juriste et écrivain français, ennemi de Corneille.

faut apprendre avant que d'enseigner, et à moins que d'être un Scaliger ou un Heinsius [1], cela n'est pas supportable ! » Là-dessus Corneille se révolte et demande si c'est donc qu'on veut le faire descendre, « beaucoup au-dessous de Claveret ! » Ici Scudéry s'in-
10 digne de tant d'orgueil et rappelle à « ce trois fois grand auteur du *Cid*… les modestes paroles par où le Tasse, le plus grand homme de son siècle, a commencé l'apologie du plus beau de ses ouvrages, contre la plus aigre et la plus injuste Censure, qu'on fera peut-être jamais. M. Corneille, ajoute-t-il, témoigne bien en ses Réponses
15 qu'il est aussi loin de la modération que du mérite de cet excellent auteur. » Le *jeune homme* si *justement* et si *doucement censuré* ose résister ; alors Scudéry revient à la charge ; il appelle à son secours l'*Académie Éminente :* « Prononcez, ô mes Juges, un arrêt digne de vous, et qui fasse savoir à toute l'Europe que *Le Cid* n'est point le
20 chef-d'œuvre du plus grand homme de France, mais oui bien la moins judicieuse pièce de M. Corneille même. Vous le devez, et pour votre gloire en particulier, et pour celle de notre nation en général, qui s'y trouve intéressée : vu que les étrangers qui pourraient voir ce beau chef-d'œuvre, eux qui ont eu des Tassos et des
25 Guarinis [2], croiraient que nos plus grands maîtres ne sont que des apprentis. » Il y a dans ce peu de lignes instructives toute la tactique éternelle de la routine envieuse contre le talent naissant, celle qui se suit encore de nos jours […].

1. Relevez le lexique, les verbes ou expressions modalisateurs et les procédés rhétoriques, qui permettent d'affirmer que Hugo défend *Le Cid* de Corneille et se moque du contempteur de la pièce, Scudéry.

2. Quels sont les arguments de Scudéry contre *Le Cid* ? Comment Hugo les réfute-t-il ?

TEXTE 20 • Alphonse de Lamartine, *Philosophie et littérature : de la prétendue décadence de la littérature en Europe* (1893)

Auteur romantique, Lamartine rend, en maître, son jugement sur *Le Cid*.

Corneille imite surtout les Espagnols et Sénèque ; c'est un Romain, si l'on veut, mais un Romain d'Ibérie, Romain exagéré,

1. Auteurs de la Renaissance. \ 2. Auteurs et poètes italiens du XVIe siècle.

déclamatoire, qui donna à l'héroïsme l'attitude, le geste, l'ac
cent du matamore. On peut admirer tout de lui, excepté le carac
tère naturel, vrai, proportionné et sobre de son pays. Corneil
est tout ce qu'on voudra, excepté Français. Supposez qu'on trouv
après mille ans, dans une catacombe, un volume de Corneille, e
qu'on se demande de quelle nation était ce poète enflé comm
un Castillan, tendu comme un Latin, sublime comme un Afri
cain, pompeux comme un Gascon, raisonneur comme un Anglai
à coup sûr on ne devinera pas en mille que ce grand homme étai
du pays de La Fontaine, de Molière ou de Boileau !

1. Lamartine fait-il l'éloge ou le blâme de Corneille ? Quels sont les indice qui vous permettent de vous déterminer ?

2. Récapitulez les éléments que Lamartine considère comme définitoire de l'esthétique cornélienne. Les jugez-vous pertinents ? Vous appuiere votre réponse sur des exemples précis tirés de l'ensemble du *Cid*.

TEXTE 21 • Émile Faguet, *Dix-septième siècle : études et portraits littéraires* (1896)

Le célèbre critique universitaire de la fin du XIXe siècle réfléchit sur l rapport de Corneille aux règles.

Ce qui a un peu gêné Corneille dans son travail, sinon dans le déve
loppement de son génie, ce sont les nouvelles règles du poèm
dramatique établies par les doctes de 1630. Non pas toutes. Il n'es
gêné ni par l'unité d'action, ni par la moralité, ni par l'intérêt d
curiosité, ni par l'intrigue serrée et logique. Il est plus régulier qu
les réguliers sur tous ces points. Ce qui le gêne, c'est l'unité d
temps et l'unité de lieu [...].

1. Faguet est-il favorable aux doctes ou à Corneille ?

2. À partir d'exemples précis tirés du *Cid*, justifiez ou réfutez chacun des affirmations avancées par Faguet.

3. Pensez-vous que les règles soient une entrave ou une aide à la créa tion artistique ? Vous répondrez en un développement argumenté, illustr par des exemples précis.

TEXTE 22 • Paul Bénichou, *Morales du grand siècle* (1948)

Paris, Gallimard, coll. « Folio essais », 1988, p. 19

Paul Bénichou, universitaire spécialiste du XVIIe siècle, propose une analyse historique et sociologique de l'héroïsme cornélien.

Le sublime cornélien n'est pas propre à Corneille ; il emplit tout le théâtre tragique de son temps. Les êtres d'exception à l'âme forte et grande peuplent les tragédies de Rotrou, Mairet, Tristan, du Ryer. Et ce qui frappe d'abord, chez ces écrivains comme chez 5 Corneille, c'est le ton exalté, l'attitude glorieuse des héros qu'ils offrent en modèles au public. Ni la contrainte, ni le silence des désirs ne semblent être le partage des « grandes âmes » comme on les conçoit alors ; chez toutes s'épanouit la même forme glorieuse et ostentatoire du sublime, le même étalage des puissances du moi, 10 le même grandissement moral de l'orgueil et de l'amour. Corneille et ses contemporains reproduisent en cela une tradition dont les premiers éléments sont assez lointains. Le terme de *féodal*, appliqué à l'inspiration de Corneille, peut, à première vue, sembler anachronique. Mais il n'en est pas d'autre pour désigner ce qui, dans la 15 psychologie des gentilshommes du XVIIe siècle, persiste des vieilles idées d'héroïsme et de bravade, de magnanimité, de dévouement et d'amour idéal, ce qui s'oppose aux tendances plus modernes de l'aristocratie à la simple élégance morale ou à l'« honnêteté[1] ». Les idées, les sentiments et les comportements qui avaient accompagné 20 la vie féodale se sont maintenus vivants bien longtemps après la décadence de la féodalité. Aucune révolution violente n'avait frappé les institutions anciennes qui s'étaient altérées progressivement, sans que l'individualisme noble, l'esprit d'aventure, le goût de l'outrance et des sublimations rares eussent jamais complètement 25 disparu. L'époque de Corneille est justement, dans les temps

1. Les théoriciens de l'honnêteté voulaient imposer le modèle de l'« honnête homme », caractérisé par sa modération et sa quête du juste milieu. Il est donc un modèle sociologique contraire à celui du héros féodal : le héros féodal exalte la passion ; l'honnête homme la maîtrise pour ne jamais tomber dans la démesure. Sur l'honnêteté, voir Maurice Magendie, *La Politesse mondaine et les théories de l'honnêteté en France au XVIIe siècle, de 1600 à 1660* (1925), Genève, Slatkine, 1970 et Emmanuel Bury, *Littérature et politesse : l'invention de l'honnête homme, 1580-1750*, Paris, PUF, 1996.

modernes, une de celles où les vieux thèmes moraux de l'aristocratie ont revécu avec le plus d'intensité.

1. En quoi Rodrigue et Chimène correspondent-ils à la définition que Paul Bénichou donne du héros cornélien ?

2. Êtes-vous d'accord avec Bénichou pour dire que le héros cornélien est un « héros féodal » ? Ne peut-on pas dire qu'il est, au contraire, un défenseur de l'absolutisme ? Justifiez votre propos en vous appuyant sur des arguments et des exemples précis tirés de la pièce de Corneille.

TEXTE 23 • Cynthia B. Kerr, *Corneille à l'affiche, vingt ans de créations théâtrales, 1980-2000* (2000)

Tübingen, Gunter Narr Verlag, 2000, p. 64 et 71

Cynthia B. Kerr commente la mise en scène du *Cid* de Francis Huster, présentée au théâtre du Rond-Point en 1985.

Comme de coutume dans l'histoire de la représentation du *Cid*, Huster a monté la version de 1660, c'est-à-dire celle que Corneille a remaniée en fonction des critiques de l'Académie. Mais il a cherché à faire ressortir ce qu'il y avait de novateur et de subversif
5 dans la pièce, voulant étonner aujourd'hui de la même façon que Corneille l'a fait il y a plus de trois cents ans. *Le Cid* est une œuvre de jeunesse, écrite par un auteur de trente ans qui se plaisait à provoquer : telle est l'idée maîtresse qui a guidé ce spectacle. Un édit de Louis XIII interdisait le duel ; le héros de Corneille est un
10 duelliste. La guerre faisait rage entre l'Espagne et la France ; son héros est un Espagnol. Richelieu s'efforçait d'imposer l'autorité royale ; don Fernand est un roi faible sinon un incapable. Pour respecter le souffle de jeunesse qui valut à cette tragi-comédie un succès public qui ne se démentit pas de tout le siècle, Huster s'est
15 donné comme défi de la jouer comme elle n'avait jamais été jouée. « Il faut rendre *Le Cid* à la jeunesse. Il faut faire de Rodrigue un héros de notre époque[1]. » [...]

Pour faire de l'œuvre de Corneille une histoire d'aujourd'hui, Huster s'est inspiré des personnages joués au cinéma par Martin

1. Francis Huster, dans un entretien accordé à Philippe Gildas pour son émission « Direct » du 5 décembre 1985, diffusée sur Canal +.

20 Sheen dans *Apocalypse Now* et par Robert De Niro dans *Voyage au bout de l'enfer*. Son Rodrigue n'est ni un preux chevalier du Moyen Âge ni un jeune premier romantique ni un surhomme rayonnant de confiance mais un héros moderne, à l'échelle humaine, qui se trouve soudain pris dans l'engrenage de la violence. Il revient de 25 son combat ayant découvert que la guerre est une boucherie et que le champ soi-disant d'honneur est un champ de carnage. Son débit est brusque, haché, déchiqueté.

1. Quel est le parti pris choisi par Francis Huster ? Quelles modifications a-t-il apportées aux représentations antérieures du *Cid* ? En quoi sa mise en scène est-elle donc novatrice ?

2. Dans un paragraphe argumenté, vous direz si, vous aussi, vous jugez la pièce de Corneille moderne.

JETS

INVENTION ET ARGUMENTATION

Sujet 1

Racine écrit à Corneille pour lui faire part de sa réprobation. *Le Cid*, pour lui, est une pièce choquante, qui heurte la bienséance. Rédigez cette lettre.

Sujet 2

Deux metteurs en scène contemporains entreprennent de monter *Le Cid* de Corneille. L'un défend l'idée qu'il faut moderniser la pièce, l'autre qu'il faut au contraire mettre l'accent sur les résonances politiques de la tragi-comédie au XVIIe siècle. Rédigez ce dialogue.

Sujet 3

Rédigez le monologue délibératif qu'aurait pu prononcer le roi, don Fernand, au milieu de l'acte IV. Il s'interroge pour savoir s'il doit trancher en faveur de Chimène ou de Rodrigue.

Sujet 4 : analyse d'images

1. Étudiez les personnages présents sur ces deux images. Quels costume portent-ils ? Quelle est leur position spatiale ? Quelles expressions leur visages manifestent-ils ?

2. Quels partis pris de mise en scène semblent annoncés par les images ? Quelle lecture de la pièce cornélienne semble donc avoir été privilégiée ?

COMMENTAIRES

Les extraits choisis pour faire l'objet de commentaires sont accompa gnés d'un questionnaire de lecture visant à dégager une cohérence dan l'approche, une problématique possible pour l'analyse du texte et pou la rédaction du devoir.

Le Cid mis en scène par Gérard Desarthe
avec Claude Cyriaque (don Fernand), Bobigny, 1988.
ph © Marc Enguerand / Agence Enguerand-Bernand

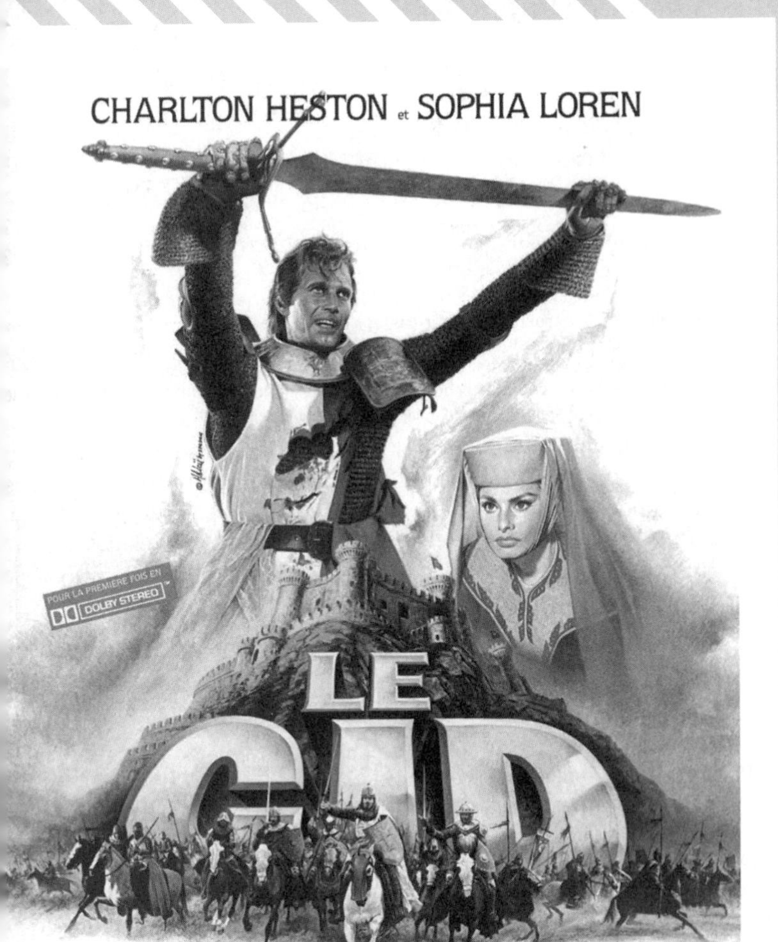

Affiche du film *Le Cid*, réalisé par Anthony Mann (1961)
avec Charlton Heston (Rodrigue) et Sophia Loren (Chimène).
ph © coll. Christophe L

Sujet 5

TEXTE 24 • *Le Cid*, acte II, scène 2

À moi, Comte [...] honneur de son père.

> VERS 399-444, PAGES 34-3

Après avoir répondu aux questions suivantes, vous ferez un commentaire de ce texte.

Indications pour traiter le sujet

N'oubliez pas de toujours replacer le passage dans l'économie générale de l'œuvre. Quelle sont les attentes du spectateur au début d'une scène ? d'un acte ? Pensez aussi qu'un dialogu théâtral reflète toujours l'état d'esprit et le caractère des personnages ; il est ainsi essentiel de s'interroger ici sur les oppositions (physiques, éthiques) entre Rodrigue et le comt afin de réfléchir à la portée symbolique des deux protagonistes.

1. Commentez le rythme de la scène (étudiez notamment l'enchaînement des répliques, la ponctuation, les temps verbaux, le type de verbes les pronoms personnels, la versification...). Déduisez-en le ton de l'échange entre Rodrigue et le comte, et qualifiez leur relation.

2. Quelles étaient les attentes du spectateur à la fin de l'acte I ? Ce attentes sont-elles comblées ? Pourquoi ?

3. Étudiez les oppositions entre le comte et Rodrigue. En quoi peut-on dire qu'on assiste à la naissance d'un héros ?

Sujet 6

TEXTE 25 • *Le Cid*, acte III, scène 4

Ah Rodrigue ! [...] digne de toi.

> VERS 915-942, PAGES 64-6

Après avoir répondu aux questions suivantes, vous ferez un commentaire de ce texte.

Indications pour traiter le sujet

De nouveau, il est essentiel de replacer le texte dans son contexte. Rodrigue vient de tue le père de Chimène. Il a accompli son devoir, vis-à-vis de son père et de sa lignée. Il doit maintenant être puni par Chimène : « Mon Juge est mon amour, mon Juge est ma Chimène » (III, 1 v. 763). Il se rend donc de nuit chez Chimène bien décidé à mourir aux pieds de sa bien-aimée Le passage à étudier est une longue tirade de Chimène. Gardez à l'esprit qu'une tirade théâtrale pose une triple problématique pour le commentaire. Tout d'abord, d'une tirade peut toujours se déduire le caractère du personnage qui parle. Il faut donc voir quel portrait de Chimène se dégage de l'extrait. Ensuite, il vous faut réfléchir sur la finalité de la tirade est-elle lyrique ? informative ? argumentative ? Enfin, une tirade pose un problème drama turgique fondamental : comment conjurer le statisme et ne pas lasser le spectateur ? Les effets et moyens d'animation scénique doivent donc être étudiés.

1. Caractérisez le personnage de Chimène en montrant comment elle analyse les rapports entre amour et devoir.

2. Quel portrait de Rodrigue Chimène dessine-t-elle dans sa tirade ? Est-il surprenant ? Pourquoi ? Après avoir étudié les marques personnelles dans la tirade, qualifiez les rapports qui unissent Rodrigue et Chimène.

3. Comment Chimène rend-elle son discours persuasif ? Montrez qu'elle est un personnage éloquent.

Sujet 7

EXTE 26 • *Le Cid*, acte IV, scène 3

La honte de mourir [...] pour votre service...

> VERS 1305-1339, PAGES 84-85

Après avoir répondu aux questions suivantes, vous ferez un commentaire de ce texte.

Indications pour traiter le sujet

Replacez le texte dans son contexte : après avoir tué le comte, Rodrigue, qui ne peut ni épouser Chimène, ni en aimer une autre, est prêt à mourir. Son père lui conseille alors de prendre la tête des nobles pour affronter les Maures qui menacent la cité. Rodrigue, revenu glorieux, fait le récit, au roi don Fernand, de ses exploits. Les problématiques pour cette tirade sont similaires à celles de la tirade commentée précédemment (sujet 6).

1. Quels sont les procédés oratoires utilisés par Rodrigue pour captiver son auditoire ? Parvient-il à être persuasif ?

2. Dans quel(s) but(s) Rodrigue prononce-t-il cette tirade ?

3. Étudiez les marques de l'énonciation dans la tirade. Quelle évolution constatez-vous ? Qu'en déduisez-vous ?

4. Comment expliquez-vous que la tirade s'achève sur le mot « service » ? Quels rapports unissent Rodrigue et le roi ?

Sujet 8

TEXTE 27 • *Le Cid*, acte V, scène 7

Relève-toi, Rodrigue [...] et ton Roi.

> VERS 1827-1866, PAGES 109-111

Après avoir répondu aux questions suivantes, vous ferez un commentaire de ce texte.

■ Indications pour traiter le sujet

La situation du passage est capitale : vous devez étudier l'ultime scène de la pièce, le dénouement. Les caractéristiques d'un dénouement théâtral doivent être connues (il doit être rapide, complet, nécessaire) afin de vérifier que le dénouement du *Cid* répond à ces critères. Pensez aussi que le dénouement est le dernier tableau d'un spectacle : il doit donc marquer, impressionner les esprits par sa force mais aussi porter le sens, la signification ultime de la pièce.

1. Le dénouement de 1637 répond-il aux codes traditionnels du dénouement ?

2. Relisez la scène 5 de l'acte IV : quelle y était l'attitude du roi ? Comparez-la avec cette scène finale. Montrez en quoi le roi s'est métamorphosé.

3. Quels rapports unissent le roi, Rodrigue et Chimène ? En quoi peut-on dire que le dénouement a une portée politique ?

DISSERTATIONS

Sujet 9

Selon Lanson, le « principe fondamental du théâtre [...], c'est la vérité, la ressemblance avec la vie ». Discutez cette affirmation en vous appuyant sur des exemples précis et rigoureusement analysés.

■ Indications pour traiter le sujet

Lanson défend la thèse selon laquelle le théâtre a vocation à être naturaliste, c'est-à-dire qu'il vise à représenter fidèlement la réalité, la vie. Il vous faut donc dans un premier temps valider cette thèse, en cherchant ce qui, dans les pièces de théâtre, relèverait d'une imitation de la vie (sentiments, costumes, langage...).

Ensuite, vous devrez discuter cette thèse. Pensez bien que le théâtre ne se revendique pas forcément de la *mimesis* (l'imitation de la réalité) et qu'il peut ainsi donner une place essentielle à la fiction et à l'imaginaire.

Enfin, n'oubliez pas que le théâtre doit répondre à un principe de concentration (spatiale, temporelle, narrative, émotionnelle...) et que par conséquent, il est amené à resserrer et à dramatiser la réalité.

Sujet 10

Saint-Évremond affirme que le théâtre de Corneille, et *Le Cid* en particulier, « ne dérobe rien de ce qui se passe ; il met en vue toute l'action [...] ». Pensez-vous que cette affirmation doit s'appliquer plus généralement à l'ensemble des pièces de théâtre ? Votre propos sera appuyé sur des arguments précis et des exemples tirés d'œuvres variées.

■ Indications pour traiter le sujet

Le sujet porte sur le problème du rapport entre discours, action et image au théâtre. La thèse de Saint-Évremond est claire : pour lui, le théâtre montre tout, donne toute l'action à voir aux spectateurs. Il vous faut d'abord valider cette affirmation qui associe théâtre et spectaculaire.

Pour pouvoir discuter cette thèse, vous devez penser à utiliser vos connaissances historiques et littéraires sur le théâtre : vous savez ainsi que le théâtre classique, au nom de la règle des bienséances, bannit toute représentation de la violence sur scène.

Pensez aussi en termes dramaturgiques : le théâtre est fait pour être joué et, par conséquent, des problèmes techniques de mise en scène peuvent se poser et limiter la mise en vue de l'action.

Sujet 11

Dans une lettre à Boisrobert, Corneille affirme faire du théâtre « pour le divertissement des honnêtes gens, qui se plaisent à la comédie[1] ». Pensez-vous que la seule finalité du théâtre soit de plaire ?

■ Indications pour traiter le sujet

Le sujet porte sur les buts, les fonctions du spectacle théâtral. Selon Corneille, la finalité première du théâtre est de plaire, c'est-à-dire de délasser et de charmer l'esprit des spectateurs.

À vous de voir si d'autres finalités ne sont pas à envisager pour nuancer ou compléter le point de vue cornélien. N'oubliez pas ce que dit Aristote au seuil de sa *Poétique* (le théâtre doit instruire, et pose la question de la *catharsis*).

1. Le mot « comédie » est synonyme de théâtre au XVIIe siècle.

BIBLIOGRAPHIE

Éditions du Cid

CORNEILLE Pierre, *Le Cid, 1637-1660*, éd. Georges Forestier, Paris, Société des textes français modernes, 1992.

CORNEILLE Pierre, *Œuvres complètes* (3 tomes), éd. Georges Couton, Paris, Gallimard, coll. « Bibliothèque de la Pléiade », t. I, 1969.

CORNEILLE Pierre, *Œuvres complètes*, Paris, Le Seuil, coll. « L'Intégrale », 1989.

Ouvrages sur le contexte historique et culturel

BÉNICHOU Paul, *Morales du grand siècle*, Paris, Gallimard, coll. « Folio essais », 1988.

DOTOLI Giovanni, *Littérature et société en France au XVIIe siècle*, Paris, Nizet, 1991 (2e édition corrigée).

KIBÉDI VARGA Aron, *Le Classicisme*, Paris, Le Seuil, coll. « Mémo », 1998.

LANDRY Jean-Pierre et MORLIN Isabelle, *La Littérature française du XVIIe siècle*, Paris, Armand Colin, coll. « Cursus », 1993.

MESNARD Jean, *La Culture du XVIIe siècle*, Paris, PUF, 1992.

Ouvrages généraux sur le théâtre du XVIIe siècle

BRAY René, *La Formation de la doctrine classique*, Paris, Nizet, 1983.

DELMAS Christian, *La Tragédie de l'âge classique (1553-1770)*, Paris, Le Seuil, 1994.

FORESTIER Georges, *Introduction à l'analyse des textes classiques*, Nathan, 1993.

GUICHEMERRE Roger, *La Tragi-comédie*, Paris, PUF, coll. « Littératures modernes », 1981.

LARTHOMAS Pierre, *Le Langage dramatique, sa nature, ses procédés*, Paris, PUF, 2001.

SCHERER Jacques, *La Dramaturgie classique en France*, Paris, Nizet, 1986.

TRUCHET Jacques, *La Tragédie classique en France*, Paris, PUF, coll. « Littératures modernes », 1997 (3e édition corrigée).

Études sur Corneille

CASSOU-NOGUÈS Anne, *Corneille*, Levallois-Perret, Studyrama, coll. « Panorama d'un auteur », 2005.

COUTON Georges, *Corneille*, Paris, Hatier, coll. « Connaissance des lettres », 1969.

COUTON Georges, *Corneille et la tragédie politique*, Paris, PUF, coll. « Que sais-je ? », 1984.

DORT Bernard, *Corneille dramaturge*, Paris, L'Arche, 1972.

FORESTIER Georges, *Corneille, le sens d'une dramaturgie*, Paris, SEDES, 1998.

FUMAROLI Marc, *Héros et orateurs : rhétorique et dramaturgie cornéliennes*, Genève, Droz, 1990.

SWEETSER Marie-Odile, *La Dramaturgie de Corneille*, Genève, Droz, 1977.

Études sur **Le Cid**

COUPRIE Alain, *Pierre Corneille, « Le Cid »*, Paris, PUF, coll. « Études littéraires », 1989.

GASTÉ Armand, *La Querelle du « Cid »*, Genève, Slatkine, 1970.

MOLINIÉ Georges, « *Le Cid* baroque », *L'information grammaticale* (Paris), nº 39, 1988.

RONZEAUD Pierre, *Corneille, « Le Cid »*, Paris, Klincksieck, coll. « Parcours critique », 2001.

SELLIER Philippe, « *Le Cid* ou le modèle héroïque de l'imagination », *Stanford French Review* (Saratoga), nº 11, 1981.

SERROY Jean, « *Le Cid*, comi-tragédie », *Dalla tragedia rinascimentale alla tragicommedia barocca* (sous la direction d'Elio Mosele, actes du colloque, 9-11 octobre 1991, Vérone), Fasano, Schena, 1993.

Filmographie

Le Cid, Anthony Mann, 1961.

Mise en scène filmée

Le Cid, Thomas le Douarec, 1999.

Collection Classiques & Cie

6 Abbé Prévost
Manon Lescaut

41 Balzac
Le Chef-d'œuvre inconnu
Sarrasine

47 Balzac
Le Colonel Chabert

11 Balzac
Histoire des Treize
(Ferragus - La Duchesse de Langeais - La Fille aux yeux d'or)

3 Balzac
La Peau de chagrin

34 Balzac
Le Père Goriot

42 Barbey d'Aurevilly
Les Diaboliques

20 Baudelaire
Les Fleurs du mal

15 Beaumarchais
Le Mariage de Figaro

51 Corneille
Le Cid

2 Corneille
L'Illusion comique

38 Diderot
Jacques le Fataliste

17 Flaubert
Madame Bovary

44 Flaubert
Trois Contes

4 Hugo
Le Dernier Jour d'un condamné

21 Hugo
Ruy Blas

8 Jarry
Ubu roi

36 La Bruyère
Les Caractères
(De la ville - De la cour
Des grands - Du souverain
ou de la république)

5 Laclos
Les Liaisons dangereuses

14 Lafayette (Mme de)
La Princesse de Clèves

50 Marivaux
La Double Inconstance

46 Marivaux
L'Île des Esclaves

12 Marivaux
Le Jeu de l'amour et du hasard

30 Maupassant
Bel-Ami

52 Maupassant
Le Horla et autres nouvelles fantastiques

18 Maupassant
Nouvelles

27 Maupassant
Pierre et Jean

40 Maupassant
Une vie

48 Mérimée
Carmen - Les Âmes du purgatoire

1 Molière
Dom Juan

19 Molière
L'École des femmes

25 Molière
Le Misanthrope

9 Molière
Le Tartuffe

45 Montesquieu
Lettres persanes

10 Musset
Lorenzaccio

35 **La poésie française au XIXe siècle**

26 Rabelais
Pantagruel - Gargantua

31 Racine
Andromaque

22 Racine
Bérénice

23 Racine
Britannicus

7 Racine
Phèdre

37 Rostand
Cyrano de Bergerac

16 Rousseau
Les Confessions

32 Stendhal
Le Rouge et le Noir

39 Verne
Le Château des Carpathes

13 Voltaire
Candide

24 Voltaire
L'Ingénu

33 Voltaire
Zadig

10 Zola
L'Assommoir

49 Zola
La Curée

28 Zola
Germinal

43 Zola
Thérèse Raquin

Achevé d'imprimer par Grafica Veneta à Trebaseleghe - Italie
Dépôt légal n° 95894-6/01 - Décembre 2011